FRITZ BINDE

DIE HEILIGE EINFALT

49 BETRACHTUNGEN

Verlag Ernst Franz · Metzingen Württ.

Verlag und Schriftenmission
der Evangelischen Gesellschaft für Deutschland · Wuppertal

9. Auflage 1984

Copyright Brunnenverlag Gießen

Umschlag: Werner Bader

Fotomechanischer Nachdruck

Printed in Germany

ISBN: 3-7722-0013-3 (Franz Verlag)

ISBN: 3-87857-191-7 (Verlag und Schriftenmission)

ZUM GELEIT

Als ich vor dreißig Jahren ein Vorwort zur dritten Auflage geschrieben habe, hätte ich mir nicht träumen lassen, daß nach so langer Zeit, in der sich das Gesicht der Welt auf so umstürzende Weise verändert hat, eine nochmalige Herausgabe dieser 49 Betrachtungen über die »Heilige Einfalt« in Betracht käme. Doch die Nachfrage nach diesem Buch, jenem köstlichen Vermächtnis aus der letzten Schaffenszeit des heimgegangenen Evangelisten, einer reifen Frucht seiner durch Leiden geläuterten Seele, ist in all den Jahren nicht verstummt. Fritz Binde hatte offene Augen für den Schaden der heutigen Christenheit. Bei allem frommen Umtrieb sah er so viel äußerliches Wesen, toten Buchstabenglauben, Menschenhörigkeit und Ichgebundenheit. Das gewohnheitsmäßige Durchschnittschristentum befriedigte ihn nicht. Sein Ziel ist der immerwährende »Wandel in der Gegenwart Gottes«, das tiefe Eingewurzeltsein des Menschen in den lebendigen Christus. Was ihn in den mannigfachen Anfechtungen seines Lebens bewegte, ist dies: er suchte den Weg der Einfalt, den uns der Meister Jesus Christus zu Gott, unserm ewigen Ziel, gebahnt hat, der ein Weg des Gehorsams und der Hingabe, des Gebets und der dienenden Liebe ist. Ein Weg, dessen Geheimnis, Weisheit und innerste Schönheit vor den Augen der Welt verborgen ist.

In einer Zeit, in der die heillose Unrast des Menschen immer tiefer greift, in der auch das religiöse und kirchliche Leben durch mancherlei Betriebsamkeit stark gefährdet ist, wollen diese Betrachtungen ein aufgehobener Mahnfinger, aber auch eine herzliche Ermunterung sein, aus der unruhvollen Vielfalt zur wahren Einfalt zurückzufinden.

Luchsingen (Schweiz), im April 1961

Pfarrer E. Schultze-Binde

VORWORT

Paulus, der vorbildliche Seelsorger, befürchtete damals, es möchten die Sinne der korinthischen Christen durch die List der Schlange, die Eva betrog, verderbt, nämlich von der Einfalt und Reinheit gegen Christus abgelenkt werden. Erneuert sich diese Befürchtung, auf die gläubige Gemeinde unserer Tage angewandt, heute nicht in besonderer Weise? Unsere irre und wirre Zeit, in der die List der Schlange so außerordentlich verführerisch wirksam ist, hat bereits auch die Sinne nicht weniger Christen verderblich erfaßt. Es droht ein »anderer Jesus« gepredigt, ein »anderer Geist« empfangen, ein »anderes Evangelium« angenommen zu werden, und viele ertragen das wohl. Das macht, der geistliche Einfaltssinn gegen Christus hat durch die wilden Wogen der Zeit Schaden gelitten. Mehr als je sind Christen in die Händel, Sünden, Sorgen und eitlen Hoffnungen der Welt hineinverflochten worden, und die kommende religiöse und soziale Entwicklung wird den Gläubigen noch viel größere Gefahren bringen.

Da werden nur die in ihrem Glaubenslauf hindurchkommen, die sich durch nichts von der Einfalt gegen Christus ablenken lassen oder beizeiten wieder zu ihr zurückkehren. Zu nichts gehört mehr rücksichtslos entschlossener Glaubensmut als eben zur heiligen Einfalt; aber auch nichts rettet die Seele sicherer und unbeschädigter an allem Selbst- und Menschenbetrug vorbei. Nicht zeitgemäße wissenschaftliche Erörterungen, nicht zeitgemäße

Beteiligung an politischen und wirtschaftlichen Bestrebungen, nicht zeitgemäße Neuanstrengungen in allerlei »Reichsgottesarbeit« noch irgendwelche sonstige zeitgemäße Hingabe an die Mannigfaltigkeit und Vielfältigkeit dieser Welt der Sichtbarkeit können das gläubige Herz in diesem dämonisch erregten gegenwärtigen Zeitensturme wirklich befestigen und bewahren. Hier hilft nur die nach innen gekehrte, schrift- und ewigkeitsgemäße, stille Einfaltsübung gegen den in uns wohnenden Christus. Nur wo es zur einfältigen Einwurzelung in ihn kommt, wird viele und bleibende Frucht reif, durch die allein auch dies verkehrte und verdrehte, durch und durch kranke Geschlecht von heute genesen kann.

Die Betrachtungen dieses Buches, die ein Lob der heiligen Einfalt zum Preise der heilsamen Gnade Gottes sein sollen, möchten zu solcher Genesung in aller Stille und Bescheidenheit beitragen. Möge der Herr, der Geist, viele Leser zur Einfalt überwinden!

Riehen bei Basel, August 1919

Fritz Binde

Heil'ge Einfalt, Gnadenwunder,
tiefste Weisheit, größte Kraft,
schönste Zierde, Liebeszunder,
Werk, das Gott alleine schafft!

Alle Freiheit geht in Banden,
aller Reichtum ist nur Wind,
alle Schönheit wird zuschanden,
wenn wir ohne Einfalt sind.

Wenn wir in der Einfalt stehen,
ist es in der Seele licht;
aber wenn wir doppelt sehen,
dann vergeht uns das Gesicht.

Einfalt denkt nur auf das eine,
in dem alles andre steht;
Einfalt hängt sich ganz alleine
an den ewigen Magnet.

Wem sonst nichts als Jesus schmecket,
wer allein auf Jesus blickt,
wessen Ohr nur Jesus wecket,
wen nichts außer ihm erquickt,

Wer nur hat, was Jesus gibet,
wer nur lebt aus seiner Füll',
wer nur liebt, was ihm beliebet,
wer nur kann, was Jesus will,

Wer ihn so mit Inbrunst liebet,
daß er seiner selbst vergißt,
wer sich nur um ihn betrübet
und in ihm nur fröhlich ist,

Wer allein auf Jesus trauet,
wer in Jesus alles find't:
der ist auf den Fels gebauet
und ein sel'ges Gnadenkind.

Wohl dem, der den Herrn läßt machen,
wohl ihm! Der Herr ist sein Hirt!
Jesus wartet seiner Sachen,
daß man sich verwundern wird.

A. G. Spangenberg 1704 – 1792

I

DIE NOTWENDIGKEIT DER EINFALT

Komm, meine Seele, wir wollen uns zur heiligen *Einfalt* wenden! Die Mannigfaltigkeit und Vielfältigkeit der Dinge, Geschöpfe und Gedanken hat unsere Sinne und unseren Geist lange genug beunruhigt und betrogen; wir können nicht länger von ihnen leben. Wir haben die *Notwendigkeit* der heiligen Einfalt eingesehen. Die Vielheit der Dinge hat uns immer mehr beschwert und arm gelassen. Die Geschöpfe haben uns nur gestört und gequält. Die Menge der Gedanken hat uns nur gehetzt und verwirrt. Ach, wie lange schon haben wir es gefühlt, daß uns alles nichts hilft, was uns täglich und leider auch nächtlich von außen und innen herumtreibt. Immer deutlicher und weher erkannten wir alles als Hindernis, das uns nicht zu dem notwendigen Einen gelangen ließ, in dem allein wir unser göttliches Gedeihen finden können.

Einst füllten sich unsere Sinne gerne mit den Bildern dieser sichtbaren Welt, deren bunte Mannigfaltigkeit uns reich machen sollte. Einst suchte sich unser Geist an den Reden und Gebärden der Geschöpfe zu laben. Einst wollten wir vom Honigseim unserer eigenen Gedanken unser Leben speisen. Es war ein ehrliches, natürliches Bemühen, wie es alle Menschen haben; wir wollen es nicht schmähen. Es war die Beweglichkeit unserer angeborenen Natur, die da ihre vielfältigen Geschäfte besorgte. Es war die törichte Einfalt des Fleisches, die nur dem Einen diente, nämlich dem anspruchsvollen, vielbegehrlichen Ich. Sie konnte nicht anders. Wie auch ihr Begehren wechseln

mochte, es lief alles auf das irdische menschliche Gedeihen hinaus.

Nun aber ist uns das üppige Gebaren in natürlichen Ge-
schäften beinah unnatürlich geworden. Was könnten uns
die Sinne noch erjagen, was die Geschöpfe uns noch
einbringen, was die Vernunftschlüsse noch erringen?
Wir wissen, was in der Welt, in den Menschen und in
uns selber ist. Unsere Dürftigkeit ist eine andere geworden. Wir wollen uns ins übernatürliche Leben einleben.
Wir wollen uns zur Einfalt des Geistes hinfinden. Die
Notwendigkeit, uns dem Natürlichen und Kreatürlichen
zu entwöhnen, ist da. Die Sinne sollen nicht mehr unser
Sinnen bewegen, die Geschöpfe nicht mehr unser Handeln bestimmen, die eigenen Gedanken nicht mehr unser
Erkennen bannen. Wir müssen aus dem verzehrenden
Vielerlei zum einträglichen Einen hingelangen. Das Wech-
selspiel irdischer Bilder darf uns nicht mehr blenden; wir
müssen danach trachten, angesichts des Unsichtbaren zu
leben und im Unwandelbaren wandeln zu lernen. Das
Geräusch der Geschöpfe darf uns nicht mehr beunruhigen; wir müssen uns üben, in unverletzbarer Stille zu
wohnen. Der Redefluß unserer Gedanken darf nicht mehr
das Rad des Geistes drehen; wir müssen der Tropfen und
heiligen Schauer harren, die Gott auf uns fallen läßt. Dazu bedürfen wir des Notwendigsten vom Himmel her:
der Einfalt! Nichts fehlt uns so sehr wie sie.

2.

DIE SELTENHEIT DER EINFALT

Bemerke doch die *Seltenheit* der heiligen Einfalt in uns
und bei allen Menschen. Wann waren wir zuletzt einfältig? Wann hörten, schauten, sannen wir schlicht und unverrückt auf das Eine, von dem wir längst wußten, daß
es uns fehlt? Wann war das Ohr fähig, das Unhörbare zu
hören und das Hörbare ringsum zu überhören? Wann
hatten wir das einfältige Auge, das unseren ganzen Leib
licht werden ließ, weil es nichts als die Herrlichkeit des
Eingeborenen sah und aufnahm? O die Verderbtheit unserer Sinne, die stets die Vielheit in irdischer Länge und
Breite begehren! Und wann waren wir den Geschöpfen
gegenüber ohne Vorder-, Neben- und Hintergedanken?
Wann waren wir in Einfalt stark genug, um einfach wahr
sein zu können? O Unlauterkeit des Herzens, voll vieler
Falten, gefüllt mit vielen Listen! Und wann war unser Erkennen und Wissen in Einfalt bescheiden genug, schweigend unter der Furcht Gottes aller Weisheit Anfang zu
erlernen? O Dünkel unseres eigenen Geistes, geübt in
buntesten Künsten!
Oder wo sollen wir Einfalt suchen unter den Menschen?
Die Mächtigsten auf Erden sind gewöhnlich die an Einfalt
Ärmsten. Ihr Geschäft, Menschenmassen zu bändigen, erlaubt keine Einfalt. Ihre Macht lebt vom Schacher der
Politik und von der listigen Klugheit der Diplomaten.
Einfalt wäre ihr Tod. Den Gelehrten und Schulstreitern
ist ebenfalls Einfalt nicht gestattet. Sie leben von der
Mannigfaltigkeit der Dinge und der Vielseitigkeit der An-
sichten über die Dinge. Einfalt würde sie beschäftigungs-
los machen. Ihr Beruf ist, jede Einfalt zu zerstören, dadurch daß sie alles Einfache in Frage stellen. Den Reichen

an Wissen gleichen die Reichen an irdischen Gütern. Sie
leben vom Geldbesitz und Gelderwerb. Ihre Schätze zu
hüten und zu vermehren erfordert eine vielbeschäftigte
Klugheit, die sich auf Einfalt nicht einlassen kann. Wie
die Gelehrten meinen, die Einfalt würde sie dumm machen, so befürchten diese Reichen, die Einfalt würde sie
arm machen. Mag ihre Klugheit die Nadelöhre noch so
sehr ausweiten, keiner von ihnen wird ins Himmelreich
der Einfalt eingehen.

Oder ist die Einfalt bei den Schaffenden, die sich in der
Menge ihrer Wege zerarbeiten? Ehr- und Habsucht narren
sie, Wind erhaschen ihre ermattenden Hände, Schaden
erleidet ihre Seele; aber die Einfalt ward nie ihr Teil: sie
hatten keine Zeit, sich solcher »Trägheit« zu befleißigen.
Oder gedeiht die Einfalt bei den Genießenden? Ach, die
Mühe des Genießens ist nicht geringer als die Mühe des
Arbeitens! Alle Lust liebt die Vielheit und nährt sich von
der Mannigfaltigkeit. Darum lebt der Genuß von der
Kurzweil, und die Einfalt wäre ihm nur langweilig. So
werden die Tugendsamen und Frommen die Träger der
Einfalt sein? Ach, wie selten sind sie es! Denn wenn sie
schon die Einfalt lieben mögen, so haben sie sie doch
nicht. Die Einfalt ist das teuerste und doch schlichteste
Kleid wahrer Frömmigkeit. Sie stellt gar nichts vor, und
ihr Wert fällt gar nicht auf. Da hüllt sich die landläufige
Frömmigkeit lieber in ein billigeres Prunkgewand, in dem
sich doch noch das fromme Ich zu entfalten vermag, um
irgendwie Aufsehen zu erregen und Ansehen zu gewinnen. O nein, auf der religiösen Schaubühne sucht man
die Einfalt vergebens.

Also kann die Einfalt nur wohnen in den niedrigen Hür-
den der Dummheit. Was bleibt sonst übrig? Nein, dort
wohnt nur ihr dürftiges Schattenbild; denn Einfalt ist
nicht blöde, unfruchtbare Leerheit, obgleich sie oft so aus-

sieht. Sie ist aber verwandt mit Unmündigkeit, Unwissenheit und Unvermögen, und man trifft sie infolgedessen
bei armen, niedrigen, ungeschulten und einfachen Leuten
immer noch häufiger an als sonstwo. Und wie rühmt man
dann ihr sogenanntes schlichtes Denken und ungesuchtes
Handeln! »Kindliche Menschen« nennt man diese naturhaft Einfältigen.
Erquickender noch ist die unverlierbare Einfalt wirklicher
Kinder. Ihr Sinnen ist Freude, ihr Bild Frühlingsfrische,
ihre Gedanken spiegeln ihre Unschuld wider. Und doch
wissen wir, daß Kinder nicht viel weniger selbstsüchtig
und gehässig sind als große Leute; aber sie sind es eben
in Einfalt. Zwar fehlt ihnen nicht das Bewußtsein der
Bosheit, wohl aber die Bosheit des Bewußtseins. Fremd
ist ihnen noch die Vielheit und Gegensätzlichkeit der bewußt selbstsüchtigen Absicht. So sind sie gleichermaßen
einfältig in ängstlicher Furcht wie in zutraulicher Hingabe; aber ihr Kinderglück ist die Vorherrschaft ihres un-
bedenklichen Glaubens.
»Wenn ihr nicht umkehret und werdet wie die Kinder, so
werdet ihr nicht ins Himmelreich kommen!« Was bringt   Matth. 18, 3
uns zur natürlichen Einfalt eines Kindes zurück, damit
wir das Himmelreich der so seltenen geistlichen Einfalt
in Gott gewinnen — um jeden Preis?

3.

DIE GABE DER EINFALT

Joh. 14, 27 »Nicht gebe ich euch, wie die Welt gibt.« Diese Menschenwelt kann uns keine Einfalt geben, denn sie hat keine mehr. Ihr Verderben ist ihr Verlust an Einfalt seit Torschluß des Paradieses. Seit jenem Zwiespalt mit Gott gibt es keine wirkliche Einfalt mehr. Das Dichten des

1. Mose 8, 21 menschlichen Herzens ist böse von seiner Jugend auf. Der Stachel der Selbstsucht beginnt schon in der Kindesseele seine wehverletzende Spitze zu härten. O klage, trauernde Seele; denn was diese Menschenwelt gebiert und gibt, ist zwiespältig und zweischneidig! In Unfrieden gibt sie, und zum Erschrecken und Verzagen des Herzens führt sie; denn endet nicht alles in herzzerreißendem Weh?

Und auch wir selbst können uns keine Einfalt geben. Zwiespältig bleibt unsere Art, wir mögen zur Einfalt aufstreben, wie irgend wir wollen. Zerklüftet bleiben wir in uns selbst, süß *und* bitter sprudelt der Quell aus unserer zerrissenen Tiefe wider allen unseren Willen. Gekünstelt reden wir von der Schlichtheit, vielspältig von der Einfalt. Unsere Aussaat bleibt Mühsal, und unsere Ernte bleibt Dornen und Disteln.

Aber juble, meine Seele, denn du weißt: Jesus Christus brachte uns die *Gabe* der heiligen Einfalt wieder! Der Aufgang aus der Höhe besuchte uns. Aus dem dürren Erdreich eines verdrehten und verkehrten Geschlechts, beladen mit vielfältiger Sünde, gerieben und durchtrieben in aller Bosheit, schoß der Sproß empor, an dem die Einfalt wieder blühen sollte. Jesus Christus ist die wiedergeschenkte Einfalt: Er dachte nichts als Gott! Sein Sinnen war ungeteilter Gottesdienst. Vermögen wir es zu fassen, daß keiner seiner Sinne sich je gegen Gott gewehrt hat?

Sein Sehen und Hören war ganz gottergeben, stand ganz
in der Furcht des Herrn. Keine seiner sinnlichen Wahrnehmungen vermochte ihn von Gott abzulenken. Keiner
seiner Sinne zerstreute und verirrte sich in die Umwelt.
Nicht einen Augenblick verlor er sich an das Geschaffene.
Nichts Irdisches war imstande, die Geschlossenheit seiner
auf Gott gerichteten Einfalt aufzulösen. Alles, was er sah
und hörte oder sonst sinnlich wahrnahm, nahm er nur
wahr in bezug auf Gott; es diente nur seiner steten
Gottesschau. Er sah die Welt in ihrem Schmuck und in
ihrer Schmach, wie keiner sie je gesehen; aber alles fes-
selte ihn höchstens als Gleichnis: die Lilien auf dem Felde
und die Vögel unter dem Himmel, die Trauben und die
Feigen, die Dornen und die Disteln, die Motten und der
Rost. Selbst das Kindlein, das er zu sich rief, mußte ihm
als Gleichnis dienen, ebenso das Gebaren der Menschen
und die Sitten des Landes, wie auch das Verhältnis der
Menschen zu Tier und Natur. Ach, die ganze Vielartigkeit der Erscheinungswelt, die uns Verkehrte ans Sinnen-
fällige und Irdisch-Menschliche versklavt, wurde von Jesu
Einfalt umfaßt und Gott dienstbar gemacht!

Dieselbe Einfalt bewahrte er auch im persönlichen Verkehr mit den Menschen. Nicht einen Augenblick verlor
er sich an die Staubgeborenen. Nie vermochte ein Mensch
zwischen ihn und Gott zu treten. Weder seine Mutter
noch seine Brüder, noch Petrus, der Felsenmann, noch die
Mutter der Donnersöhne, noch die Neugierde aller Jünger, noch das feierliche Gebaren des Hohenpriesters, noch
das Gaukelspiel des Pilatus, noch das königliche Begehren
des Herodes konnten seine Einfalt brechen. An ihr zer-
schellten auch alle Komplimente der Menschen wie jede
Schmähung und List der Pharisäer. Auch konnte ihn kein
äußerliches Gedränge aus dieser allezeit wachen Einfalt
hinausdrängen; sie ließ sich weder berauben, noch über-

Joh. 2, 4
Mark. 3, 33;
Joh. 7, 6
Matth. 16, 23
Matth. 20, 23
Mark. 13, 32
Matth. 26, 64
Joh. 18, 37
Luk. 23, 9
Matth. 19, 17;
Luk. 11, 27. 28;
Joh. 3, 2. 3

Mark. 5, 30

17

Joh. 18, 6   rumpeln, noch vergewaltigen. Ja, nicht einmal der Tod
Joh. 19, 30   konnte seine Einfalt töten; denn Jesus starb freiwillig. Er
starb in der unwandelbaren Einfalt seines Gottgehorsams,
die in Gethsemane und am Kreuz nur geprüft, aber nicht
erschüttert werden konnte. Wie auch seine Seele inmitten
aller Schmach und Schmerzen im Erleiden des Gerichtes
Jes. 53, 11;   für unsere Sünde gearbeitet haben mag, von ihrer Ein-
Hebr. 5, 7. 8   falt wich sie nie.

So haben wir, flüchtig zwar nur, hineingeschaut in die
Geschlossenheit der Einfalt Jesu Christi der Um- und
Menschenwelt gegenüber; laßt uns nun auch mit noch
reichlicherer Ehrerbietung die Aufgeschlossenheit seiner
Einfalt Gott gegenüber bemerken!

Schau an die innere Heimatlosigkeit Jesu auf Erden! Er
hatte nicht, wo er sein Haupt hinlegen konnte. Das heißt
ja nur: Er konnte sich weder von der sichtbaren Welt
nähren, noch in ihr ruhen. Als der einzige, der von oben
Joh. 8, 23   her und nicht von dieser Welt war, berührten nur seine
Füße die Erde; sein Haupt aber hatte Jesus im Himmel.
Was er von den Schutzengeln der Kinder gesagt, galt ihm
am allermeisten: Er sah das Angesicht seines Vaters allezeit. Sein Ohr war immer am Munde Gottes, sein Mund
immer am Ohre Gottes. Nur, was er vom Vater hörte,
Joh. 5, 19. 30; 8, 38   redete er, und nur, was er den Vater tun sah, tat er. O
meine Seele, nimm doch diese nach oben aufgeschlossene
Einfalt des Eingeborenen wahr, die verschlossen blieb
allem, was von unten her war! Er konnte nichts von sich
selber sehen, hören, reden, tun. Gott zeigte und sagte ihm
alles, und alles, was durch Jesus geschah, tat Gott durch
ihn. Wer ist so blind wie dieser auserwählte und vertraute Knecht, den Gott so schützen mußte, auf den er
seinen Geist gelegt, und der nicht richten konnte nach
dem eigenen Sehen seiner Augen? Und wer ist so taub
und stumm wie dieser von Gott gesandte Bote, der nicht

hörte, urteilte und redete nach dem eigenen Hören seiner
Ohren? Er ruhte und wirkte mit jedem Gedanken in Gott;
denn auf ihm ruhte der Geist Jehovas, der Geist der
Weisheit und des Verstandes, der Geist des Rates und
der Kraft, und er ruhte einfältig von allem Eigenen aus
in diesem Geiste. Keiner sah und hörte der Menschen
vielfältige Sünde so wie er, und doch richtete er nie nach
dem, was seine Augen sahen und seine Ohren hörten.
Keinem schlug je das Herz so vor Erbarmen gegen die
Sünder, und doch rettete er niemanden in eigenwilligem
Helfen.

So war die Einfalt Jesu Christi unverletzbare Geschlossenheit nach unten hin allem gegenüber, was nur »der Menschen« ist, und ureinzig lautere Aufgeschlossenheit nach
oben hin: »Nicht wie ich will, sondern wie Du willst!«
Nach eben dieser Einfalt lechzen wir. Nichts kann uns
genügen und vergnügen, als nur sie allein.

Und Du selbst bist ja diese Einfalt, Herr Jesus. Sie ist ja
das Wesen Deines Wesens, die Seele Deiner Seele. Du
erschienst ja nur in solcher Einfalt, damit wir Zwiespältigen durch sie heil würden. Darum gib Dich mir, Du
reine Himmelsgabe!

Mache mich einfältig, innig abgeschieden,
sanfte und im stillen Frieden;
mach mich reines Herzens, daß ich Deine Klarheit
schauen mag im Geist und Wahrheit!
Laß mein Herz überwärts wie ein Adler schweben
und in Dir nur leben!

Gerhard Tersteegen

Margin references:
Jes. 11, 3;
42, 1. 2. 19

Jes. 11, 2

Matth. 16, 23
Matth. 26, 39

4.

DIE ERLANGUNG DER EINFALT

Phil. 2, 7. 8 Jesu Einfalt war die Frucht seiner Selbstentleerung und Selbsterniedrigung. Er gab göttliche Gestalt und göttliche Macht preis. Sonnenklar ist es uns, daß auch wir nur durch Selbstentleerung und Selbsterniedrigung zur *Erlangung* der heiligen Einfalt kommen können. Jesus gab den Himmel preis: wir müssen die Erde preisgeben. Er legte die himmlische Herrschergewalt ab: wir müssen die irdische ablegen wollen. Ihm war nichts fremder als jenes: uns ist nichts fremder als dieses. Darum war seine Einfalt Gehorsam zum Leiden, der sich vollendete am Kreuz: und darum gelangen auch wir zur Einfalt nur durch Willigkeit zum Leiden, die vor dem Kreuz beginnt. Sein Leben wurde durch Einfalt leidende Selbstaufopferung für Gott uns zum Heil: unser Leben wird durch Einfalt leidende Selbstaufopferung für Gott, Jesus, dem Bringer der Einfalt, zu Lohn und Ehre.

O, wir wissen es: nur durch Absage an uns und Abkehr von unserer gottwidrigen Natur mit aller Vielfältigkeit ihres verkehrten Begehrens gelangen wir zur Einfalt der Natur Christi und in ihr zur Einheit mit Gott. Es ist der schmerzensreiche Bruch mit jeder irdischen Wirklichkeit, den wir zu Ende erleben müssen zu unserer ewigen Freude.

O Gott, hab Dank, daß Du uns in der Einfalt Jesu wieder werden lässest wie die Kindlein, die ja immer reicher sind, als die Wirklichkeit dieser Welt ist! Du allein, o Gott, ermöglichst uns den Empfang der Einfalt, indem Du uns verdrehte, verkehrte Menschen noch einmal geboren werden lässest zur Erneuerung aller unserer Sinne in dem einen Himmelssinn der Einfalt Christi, der uns zu

Kindern Gottes im Himmelreiche macht. Hab Dank, daß Du uns durch die Mitteilung Deiner eigenen Natur von unserer eigenen Natur scheidest! So allein befähigst Du uns zur geistlichen Erfassung einer Wirklichkeit, die kein Auge eines bloß natürlichen Menschen je gesehen und kein Ohr eines Unwiedergeborenen je gehört hat, und um deren Empfangs willen wir allein den Bruch mit jeder irdischen Wirklichkeit zu ertragen und zu vollziehen vermögen.

1. Petr. 1, 3;
2. Petr. 1, 4;
1. Kor. 2, 9. 14;
Phil. 3, 7. 8

Hab Dank, Herr Jesu, daß Du nicht nur gesagt hast: »Wenn ihr nicht umkehret und werdet wie die Kinder, so werdet ihr nicht ins Himmelreich kommen«, sondern daß Du auch gesagt hast: »Wer nicht absagt allem, was er hat, kann nicht mein Jünger sein!« So scheidet uns Dein Mund unerbittlich von dem Fluch und der Last und der Qual und dem Betrug der irdischen Wirklichkeit und Vielheit, die uns hindert, Kind zu sein, und leitet uns zur Einheit der erlösenden Einfalt, die uns in Dir den Himmel bringt. Du stehst vor uns und fragst: Was bin ich Dir wert? Und die Antwort darf nur sein: Hab anbetenden Dank, daß ich, um Dir zuzusagen und ein Jünger Deiner Einfalt zu werden, absagen darf der zauberisch bunten Sinnenwelt, der gleisnerischen Menschenwelt und der irrseligen Ichwelt! Alles sei mir feil um der Erlangung Deines himmlischen Wesens willen!

Luk. 14, 33

5.

DIE VERWUNDERUNG DER EINFALT

Niemand kann aus eigener Erfahrung sagen, wie er in diese Welt der irdischen Mannigfaltigkeit hineingekommen ist; so vermag auch niemand den Vorgang klarzulegen, durch den er in die Welt der himmlischen Einfalt versetzt worden ist. Das ist die stete *Verwunderung* der heiligen Einfalt. Sie ist da und kann sich doch über ihre Geburt keine vernunftgemäße Rechnung ablegen. Zwar sollte man meinen, einer Seele müsse der Hergang ihrer Wiedergeburt begreiflich geworden sein; aber nein, sie vermag die zweite Geburt ebensowenig zu beschreiben wie die erste. Bekehrungs- und Bußerlebnis kann man wiedergeben, aber nicht die Geburtsgeschichte der Einfalt in unserem Herzen. Der Empfang der Einfalt ist der allerinnerlichste Vorgang, den ein Mensch zu erleben vermag. Er bedeutet den ausgesprochensten Gegensatz zu unserer angeborenen Natur und erworbenen Kultur. In die Vielheit der Erscheinungen und Gedanken hineingeboren, wollen wir auch ganz von ihnen leben. Nichts ist uns natürlicher als Gegensatz und Zweifel und, als wechselvoller Gegensatz zum Zweifel, ein unbändiger Glaube an vielerlei. Nun aber findest du eines Tages sowohl Zweifel wie Vielgläubigkeit wie ausgerottet aus deinem Herzen, und die weiße Himmelspflanze der Einfalt blüht in dir. Gestern nacht sankest du unter der unerträglich gewordenen Last deines inneren Zwiespaltes Gott anrufend zu Boden und am Morgen endete dein Seelengewitter in der Stille der himmlischen Einfalt, deren Innewohnung du vielleicht urplötzlich entdecktest. Das Wunder ist entdeckt, aber nie in diesem Leben wird es vernunftgemäß erklärt.

Oder du rangest monate-, ja jahrelang wider das dir zugemutete »Einfältigwerden«. Es bedeutete dir platte, unannehmbare Dummheit, Verlust aller persönlichen Kultur, ja unheimliche Gewißheit, daß du dich dabei selbst verlieren müßtest. Aber wunderbar! Mählich verschob sich das Kampfspiel deiner Gefühle und Gedanken: dein Widerwille gegen die Einfalt ward zum Verlangen nach Einfalt, deine Zweifel wendeten sich gegen deine Zweifel, und schließlich nach vielen Tagen fand sich deine Seele verlobt der einst so gehaßten himmlischen Einfalt. Wie das wesentlich zuging, kannst du weder dir noch anderen erklären. Du weißt nur, daß deine Seele ihr ureigenstes, notwendigstes, heilsamstes und seligstes Erlebnis gemacht hat. Und dies Erlebnis bleibt das Wunder, durch das du nun jedes andere Heilswunder Gottes eben in Einfalt zu fassen vermagst.

6.

DIE TÄTIGKEIT DER EINFALT

Die Verwunderung der Einfalt wird eine immer himmlischer und herrlicher sich steigernde; aber die *Tätigkeit* der heiligen Einfalt ist dabei immer die gleiche. Worin besteht denn die Tätigkeit der himmlischen Einfalt? Sie glaubt! Der Besitz der Einfalt ist der Besitz der Fähigkeit, zu glauben. Alle gottgeschenkte Einfalt ist Glaubenseinfalt. Was für ein Gut! Welch unvergleichliches Vermögen! Weltweise bestaunen es als das Unbegreiflichste mit geheimem Neid. Gewaltige stehen davor still mit innerlich besiegtem Stolz. Reiche gäben ihre Schätze darum hin, könnten sie es kaufen. Friedlose quälen sich um den Besitz dieses Gutes mit fieberndem Herz und Haupt. Sterbende seufzen danach mit brechendem Auge.

Wie reich sind wir! Kaum ist die himmlische Einfalt in
uns geboren, und schon schlägt ihr Herz in unserem Herzen: wir vermögen zu glauben! Die Einfalt in uns lebt,
denn sie glaubt. Zwar schreit sie aus Himmelskräften
nach dem vollen Sieg ihres Lebens; aber ihr Notschrei ist
ihr Machtschrei: denn sie glaubt an ihren höchsten Sieg.
Ach, die Einfalt kann ja nichts anderes als glauben! Glauben ist ihre Natur, ihre einzige Fähigkeit und Tätigkeit,
ihre Würde, ihr Lohn! Glauben ist ihre ganze Weisheit,
ihr einziger Reichtum, ihre Macht, ihre stete Tapferkeit,
ihr endloser Sieg, ihre Unsterblichkeit! Glauben ist ihre
ewige Freude!

Einfalt glaubt an *Gott, ihren Ursprung.* Sie ist ja das un-
mittelbarste Zeugnis und Wissen von Gott. Er ist ihre unverlierbare Gewißheit und darum ihr ewiges Gewissen.
Sie bedarf nie eines Gottesbeweises: sie ist sich selbst
Beweis. Und sie allein kennt Gott; denn ihr allein hat
sich Gott geoffenbart. O seliges Einfaltsauge der Unmündigen, das *den* sieht, der den Weisen und Klugen ver-
Matth. 11, 25. 26 borgen bleibt! »Ja, Vater, denn es ist also wohlgefällig
gewesen vor Dir!« Ja, Vater, im von Dir geöffneten Einfaltsauge spiegelt sich Deine Wesenseinheit wider: im
Einfaltsauge schaust Du Dich selbst an. Das finstre
Schalksauge der Menschenklugheit aber sieht Dich nicht,
weil Du ihm Dein Licht, Deines Wesens Helle und Klarheit vorenthältst!

Und die Einfalt glaubt an den Urheber und Vollender des
Hebr. 12, 2 Glaubens, den *eingeborenen Gottessohn Jesus Christus,*
den Bringer ihres himmlischen Lebens. Sie ist ja Wesen
von Christi Wesen und Geist von Christi Geist. Sie ist in
ihm und er in ihr. Sie kann nichts ohne ihn tun und er
nichts ohne sie; denn wo er nicht ist, da kann sie nicht
sein, und wo sie nicht ist, da kann er weder wohnen noch
wirken. Sie allein kennt den Gesalbten und Gesandten

Gottes; denn ihr allein hat sich der Sohn geoffenbart. Matth. 11, 27;
Sie allein sieht seine Herrlichkeit, eine Herrlichkeit als 1. Kor. 1, 26 – 29
des eingebornen Sohnes vom Vater, voller Gnade und
Wahrheit. Ihr allein leuchtet die Erkenntnis der Herrlich- Joh. 1, 14
keit Gottes im Angesichte Christi. Sie allein beschaut und 2. Kor. 4, 6
betastet das Wort des Lebens im Fleisch gewordenen
Wort als Abglanz der Herrlichkeit Gottes und Gepräge 1. Joh. 1, 1. 2
des Wesens Gottes: Christus, der das All trägt mit dem
Worte seiner Kraft. Und sie, nur sie allein sieht das Hebr. 1, 3
Lamm Gottes, das der Welt Sünde hinwegnimmt, weil es
sein Leben gibt zum Lösegeld anstatt vieler; denn allein Matth. 20, 28
der gottgeschenkten Einfalt ist das Wort vom Kreuz kein
Ärgernis und keine Torheit, sondern Gotteskraft zur Errettung töricht Glaubender und zur Beschämung der Weisen, die verloren gehen in dem Gewirr der Mannigfaltig- 1. Kor. 1, 18
keit ihrer Klugheit und List. Sie allein sucht den Lebendigen nicht bei den Toten. Ihr, die dem Grab der Zweifel Luk. 24, 5
entstieg, ist die Auferstehung ihres Lebensfürsten und
Hirten, den der Gott des Friedens von den Toten herauf- Hebr. 13, 20
führte, allerunmittelbarste Gewißheit. Ihr Leben ist ja Leben von seinem Auferstehungsleben, ihre Kraft die Kraft
Gottes in Christi Auferweckung. Wie könnte das Leben, Eph. 1, 18. 19
das den Tod getötet hat, an sich selber zweifeln? Wahrlich, nur die gottgeschenkte Einfalt, die nichts als glauben
kann, vermag allezeit siegesgewiß zu jubeln: »Christus
lebt, mit ihm auch ich«, ich, seines grabentstiegenen Lebens teilhaftiges, glückseliges Kind! Sie allein sieht Jesus
zum Himmel auffahren und weiß ihn sitzen zur Rechten
der Majestät in der Höhe als Hohepriester in Kraft un- Hebr. 1, 3
auflöslichen Lebens, der allezeit für sie eintritt und zu
dem sie allezeit Zutritt hat in voller Gewißheit des Glau- Hebr. 7, 16. 25;
bens. Sie allein bewahrt auch unbeugsam das Bekenntnis 10, 22. 23
der Hoffnung, daß Christus wiederkommt in Herrlichkeit,
die Seinen zur Herrlichkeit zu erheben, über seine Feinde

25

zu siegen und sein Friedensreich aufzurichten. Und allein die Einfältigen werden ausharren bis ans Ende und Kraft empfangen, zu stehen vor dem Menschensohn.

Luk. 21, 36

Daß aber die Tätigkeit der himmlischen Einfalt auch ganz Glaube an den *Heiligen Geist* ist, liegt ebenso in ihrer Natur. Er hat sie ja vom Himmel herab auf die Erde getragen. Er nahm von der Einfalt Christi und gab meinem Herzen davon so wundersam zart, so selig geheim, daß ich des göttlichen Sachwalters erst gewahr wurde, nachdem er seine Sache schon getan hatte; aber nie hätte ich ihn wahrnehmen können, wenn er mir nicht zuvor die Einfalt ins Herz gelegt hätte. Er ist ja ihr Puls, ihr Herzschlag, ihr immer gegenwärtiger geheimer Walter und aus der Verborgenheit flüsternder göttlicher Berater. Unausgesetzt zeugt er von Jesus in mir, nie aber redet er von sich. Er ist der unbeschreiblich achtsame Hüter der Einfalt in mir. In unvergleichlicher Zartheit warnt er, wenn ihr Gefahr droht, wenn die Schlange, die mit ihrer Arglist Eva betrog, irgendwie meinen Einfaltssinn Christus gegenüber verderben möchte. Mit welchem unnennbaren Weh erfüllt er meine Seele, wenn ich sein heiliges Warnen mißachtet und ihn betrübt habe, und mit welch freundlicher Milde führt er mich zur Reinheit der Einfalt wieder zurück, wenn ich mich seiner göttlichen Leitung wieder überlasse, um die Glaubenstätigkeit durch sie in mir wieder fruchtbar fortzusetzen!

2. Kor. 11, 3

Eph. 4, 30

Durch ihn glaubt meine Einfalt auch an eine heilige christliche Gemeinde von Einfältigen auf Erden, Genossen des gleichen Lebens, Wissende desselben Wunders, Eigentümer des nämlichen Gutes, Träger ebendesselben Geistes, Betätiger des gleichen kostbaren Glaubens, als Leib Christi eins in der einen Einfalt über alle hinfällige irdische Vielheit und Mannigfaltigkeit hinaus. O, wie eins weiß sich meine Einfalt, Gefährten der himmlischen Berufung, mit der euren inmitten des satanischen Zwiespaltes der irren und wirren Menschheit von heute! Unser aller *eine* Einfaltstätigkeit bleibe der *eine* Glaube!

7.

DIE WEISHEIT DER EINFALT

Zu dieser Tätigkeit und zu diesem Bekenntnis gehört die *Weisheit* der heiligen Einfalt. Ihre Weisheit ist wie sie selber von oben her. Christus ist ihr von Gott gemacht zur Weisheit. Es ist die geheimnisvolle, verborgene Gottesweisheit, die Gott vor den Weltzeiten vorherbestimmt hat zur Herrlichkeit der Einfältigen. Der Heilige Geist ist ihr Übermittler und Lehrmeister. Er salbt die Einfalt mit dem Geist der Wahrheit und der Weisheit, daß erfüllt werde des Gesalbten Wort: »Ich will euch nicht als Waisen zurücklassen« und: »Seid klug wie die Schlangen und ohne Falsch wie die Tauben!« Am Tage der Pfingsten, als das plötzliche Brausen vom Himmel her kam, wie ein gewaltiger Wind daherfährt, und das ganze Haus erfüllte, da kam diese Gottesweisheit hernieder auf die Erde, hinein in die Herzen der gehorsam wartenden, auserwählten Einfältigen. »Und es erschienen ihnen Zungen zerteilt, wie von Feuer; und er setzte sich auf einen jeglichen unter ihnen, und sie wurden alle voll des heiligen Geistes und fingen an zu predigen in andern Zungen, wie der Geist ihnen gab auszusprechen.« Das war der Empfang der verheißenen Geistes- und Feuertaufe. Das war die Salbung mit Geistes- und Freudenöl, die alles lehrt, und wer sie empfangen hat, bedarf nicht, daß ihn noch jemand lehre nach Menschenweise. Sie hat weiter gewirkt, gleichviel in welcher Weise Menschen seitdem durch den

Marginal references:

1. Kor. 1, 30;
Kol. 2, 3;
Luk. 21, 15

1. Kor. 2, 7

Joh. 16, 26;
Eph. 1, 17

Joh. 14, 18;
Matth. 10, 16

Apg. 2, 3. 4

Matth. 3, 11;
1. Joh. 2, 27

einen Geist zum *einen* Leib Christi hinzugetauft und mit *einem* Geist getränkt worden sind: sie ist die himmlische Weisheit der christlichen Einfalt.

Diese Weisheit kann weder gelehrt noch erlernt werden. Sie kann nur als Geist der Weisheit, als Salbung von dem, der heilig ist, in Einfalt erbeten und empfangen werden. Nur das Bitten und Empfangen kann gelehrt und gelernt werden. Je reiner die Einfalt, desto leichter das Bitten und Empfangen und desto weiser die Weisheit der Einfalt. Ja, je einfältiger die Einfalt, desto mannigfaltiger ihre göttliche Weisheit. »Wenn aber jemandem unter euch Weisheit mangelt, der bitte Gott, der da gern gibt jedermann und allen mit Güte begegnet, so wird ihm gegeben werden. Er bitte aber im Glauben und zweifle nicht; denn wer da zweifelt, der ist gleich wie die Meereswoge, die vom Winde getrieben und bewegt wird. Solcher Mensch denke nicht, daß er etwas von dem Herrn empfangen werde. Ein Zweifler ist unbeständig in allen seinen Wegen.« In dieser Schriftstelle wird Gottes Art, den Einfältigen Weisheit zu geben, selber »einfältig« genannt. Das will sagen, er gibt sie den Einfältigen »ohne weiteres«, in unmittelbarer Mitteilung seiner selbst und ohne zögernd erst zu rechten und zu schelten. Die Bedingungen zum Empfang seiner Weisheit sind bei dem wirklich Einfältigen immer erfüllt; aber der in allen seinen Wegen unbeständige Mann mit geteilter Seele, der Zwiespältige, den nach der Weisheit der Einfalt gelüstet, empfängt nichts.

O meine Seele, wir wollen es uns schenken lassen, Gottes gebende Hand in immer völligerer Einfalt zu berühren, damit wir in Einfalt weise und in Weisheit fest und beständig werden in allen unseren Wegen! O du widerspruchsvolle, stolze und doch so beschränkte Vernunft, du zwiespältige Klüglerin, du hast uns fast noch mehr zu

1. Kor. 12, 13

Jak. 1, 5–7

Eph. 5, 15

28

schaffen gemacht als die Lüste des Fleisches! Du unfruchtbare Wehbringerin, du Verführerin in alle Sackgassen der Vielheit, du hast nie unser Herz fest und unseren Fuß sicher zu machen vermocht. Dein trübes Flackerlicht hat uns lange genug genarrt; denn wo hast du uns jemals zum Himmel geleuchtet, wo uns wahrhaft weise gemacht? Hinaus mit dir, du Schlange, aus dem Paradiese der Einfalt!

8.

DIE AUSRÜSTUNG DER EINFALT

Indes ist alle Weisheit der Einfalt eine Bezeugung Gottes in uns zum Zeugnis für Gott. Ja, die Weisheit von oben ist die *Ausrüstung* der heiligen Einfalt für ihren Zeugendienst hier unten. »Ihr werdet aber die Kraft des heiligen Geistes empfangen, welcher auf euch kommen wird, und werdet meine Zeugen sein.« Ohne die wirksame Weisheit der Einfalt vermöchten wir nie freimütige und fruchtbare Zeugen Christi zu sein; aber ausgerüstet mit der Weisheit der Einfalt hat unser geringstes und verborgenstes Zeugnis die wunderbare Kraft, die Weisheit der Weisen zu vernichten und den Verstand der Verständigen zu verwerfen. Welche Siege haben die Kinder der Einfalt in dieser Beziehung schon über die Goliathe der menschlichen Klugheit erstreiten dürfen! »Sorget nicht«, ruft ihnen Jesus, »der treue Zeuge«, zu, »wie oder was ihr reden sollt; denn es soll euch zu der Stunde gegeben werden, was ihr reden sollt. Denn ihr seid es nicht, die da reden, sondern eures Vaters Geist ist es, der durch euch redet.« Welch ein Beweis für die lebendige Gegenwart Gottes in seinen Einfältigen! Und welch ein Unterschied zwischen

Apg. 1, 8

1. Kor. 1, 19

Offb. 1, 5

Matth. 10, 19. 20;
Luk. 21, 15

29

deren Zeugnis und jenem ausgeklügelten und anstudierten nach den Elementen der Weisheit dieser Welt! Die Weisheit der Einfalt kennt nur *eine* Vorbereitung zur Zeugnisrede, das ist die: glaubenstätig in Gott, in Christus, im Geist zu ruhen, frei zu sein von der Sinnen-, Menschen- und Ichwelt. Dann ist ihre Rede stets aus Gott, vor Gott und für Gott und darum in Beweisung des Geistes und der Kraft, selbst wenn nicht der geringste sogenannte Erfolg sichtbar würde; denn die Einfalt lebt nicht von dem, was vor Augen ist.

Ihre vermehrte Ausrüstung durch Wachstum in der göttlichen Weisheit empfängt sie durch Sammlung, eben als immer gründlicheres, einfältigeres Bleiben in Christus, und durch Reinigung, eben durch Ausscheidung alles dessen, was nicht Christus ist. »Wenn du das Köstliche vom Gemeinen ausscheidest, so sollst du wie mein Mund sein.« O, wie lange dauert es doch, bis wir im Zeugendienste Christi zur abgeklärten, geläuterten Weisheit der reinen Einfalt ausreifen! Vermehrte Ausrüstung zum fruchtbringenderen Zeugendienst kann ja nur in vermehrter Einfalt bestehen. Ach, wie sind wir doch alle noch viel zu viel abhängig von der Sinnenwelt, Menschenwelt und Ichwelt!

Aber Du, Herr, wirst all unser Sinnen und Begehren läutern, bis es nichts mehr wahrnimmt und begehrt als Dich allein und einmündet in die göttliche Weisheit und Kraft der reinen Einfalt, die nichts ist als ein ununterbrochenes Sinnen, Schauen und Reden im Geiste!

2. Kor. 12, 19
1. Kor. 2, 4

Jer. 15, 19

9.

DIE SPEISE DER EINFALT

Die reine Einfalt ist auch ein Schreiben im Geiste. Durch
erwählte und besonders ausgerüstete Einfältige gab Gott
die Heiligen Schriften. Jede dieser Schriften ist von Gott
eingegeben, das heißt: von seinem Geiste »durchweht« 2. Tim. 3, 16
und in seiner Wahrheit geläutert. Von Gott aus haben Psalm 119, 140
diese Menschen sowohl geredet als geschrieben, nicht
durch menschlichen Willen, sondern vom heiligen Geist
getrieben. Dieser außerordentliche Zeugendienst war die 2. Petr. 1, 21
Probe auf die Reinheit ihrer Einfalt. Menschen von glei-
cher Gemütsbeschaffenheit wie wir wurden derart zur Einfalt gegen Gott geläutert, daß er ihnen die Offenbarung
seines Werkes, Wesens, Willens und Weges anvertrauen
konnte. Welch eine völlig von Gott hingenommene, für
Gott abgesonderte Einfalt bedeutet dies doch! Wie müssen sie im Geist gewesen sein, um nur *das* zu schreiben,
an was der Geist sie erinnerte oder was er ihnen zeigte
oder sagte! Und doch blieb die Einfalt eines jeden Schrei-
bers die seiner persönlichen Eigenart; und doch redet aus
allen Schriften der eine Gott. So ist die Bibel das mannigfaltigste und doch einheitlichste, weil einfältigste Buch
auf Erden. Durch die Einfalt vermittelt, ist es nun als
Gottes Wort die *Speise* der heiligen Einfalt geworden.
Wovon sollte die Einfalt denn sonst leben? Geist aus
Gott kann sich nur durch Gott nähren, Leben aus Gott
kann nur durch Gott weiterleben. Beides, seinen Geist
und sein Leben, hat Gott in sein Wort hineingelegt. So ist
das geschriebene Wort Gottes die einzige Nahrung der
Einfalt, durch die sie am Leben erhalten werden kann.
Sie lebt »von einem jeglichen Wort, das durch den Mund 5. Mose 8, 3;
Gottes geht«. Jede Vernachlässigung des Wortes Gottes Matth. 4, 4

schwächt sie. Jede Verfälschung des Wortes Gottes schädigt sie. Jede Trennung vom Wort Gottes tötet sie. Sein Wort hat Gott gebraucht, um sich ihr zu offenbaren; an sein Wort zu glauben, ist die Tätigkeit, mit der sie lebt und stirbt. Niemand als sie allein vermag ans Wort zu glauben; deswegen vermag auch niemand als sie allein das Wort zu bewahren. Das Wort Gottes ist nicht nur ihr alleiniger Nährboden, es ist auch ihr alleiniger Siegesboden. Gilt das: »Es steht geschrieben« nicht mehr, so steht sie selber nicht mehr. Ihr Geistesadel wäre dahin. Ihre erhabene Göttlichkeit wäre allerflachste Menschlichkeit, ihre göttliche Weisheit bedauerlichste menschliche Dummheit geworden; denn an der menschlichen Vernunft hat sie nicht den geringsten Halt. Wer dieser das Wort Gottes anvertraut, der hat es seiner Mörderin anvertraut, und die Einfalt müßte verhungern.

Es gibt auch eine Scheineinfalt, die spricht zur Einfalt: Sei doch einfältig! Du wirst doch nicht so ausgesucht eigensinnig sein wollen und alles glauben, was in der Bibel steht! Laß doch fahren, was vor der heutigen Vernunft nicht mehr haltbar ist! Es bleibt dir ja immer noch Wort Gottes genug übrig, an dem du dich sättigen kannst! – Hinweg, du scheinheilige Brоträuberin und Lebensfeindin! – Was hast du denn aber für Gründe, so eigensinnig am Unhaltbaren festzuhalten? – Ich habe nur einen Grund: meine Einfalt!

Von der ersten Gemeinde der Einfältigen in Jerusalem heißt es: »Sie nahmen die Speise mit Freude und lauterem Herzen.« So sollen und wollen auch wir das Wort Gottes allezeit in Fröhlichkeit und Einfalt des Herzens zur Speisung unserer Einfalt nehmen, und zwar genau so, wie es jenes Wort im Grundtext besagt, nämlich: in Ebenheit des Herzens. Kein Stein des Anstoßes am Wort Gottes soll unseren Herzensboden beschweren.

Apg. 2, 47

10.

DIE TORHEIT DER EINFALT

Das ist die unumgängliche *Torheit* der heiligen Einfalt:
Sie ist und bleibt Beschränkung auf Gott hin. Aus der
Torheit der Predigt vom Kreuz geboren, kann sie ihre
angeborene Natur weder verleugnen noch verlieren. Ihre
Torheit ist ihre Weisheit. »Denn die göttliche Torheit ist
weiser als die Menschen und das Schwache Gottes stärker
als die Menschen sind«; denn »was töricht ist vor der
Welt, das hat Gott erwählt, damit er die Weisen zuschanden mache, und was schwach ist vor der Welt, das
hat Gott erwählt, damit er zuschanden mache, was stark
ist«. Diese welterlösende Gottesabsicht bleibt wirksam
allein in der Torheit der Einfalt, deren einzige Weisheit
und Predigt Christus als Gekreuzigter ist. Diese Torheit   1. Kor. 1, 21. 25.
der wahren Einfalt ist nichts anderes als die Torheit Jesu   27. 30. 32
Christi selber.

O laßt uns doch, heilige Brüder, himmlischer Berufung
Genossen, mit immer weltverlorenerer Aufmerksamkeit
den Apostel unseres Bekenntnisses, Jesus, betrachten, in   Hebr. 3, 1
dem alle Schätze der Weisheit und Erkenntnis verborgen
liegen! Sehet, keine Spur der Weisheit dieser Welt fin-   Kol. 2, 3
den wir bei ihm! Was die Welt begehrt, verschmähte er,
und was die Welt verschmäht, begehrte er. Sie begehrt
Ehre, Güter, Lüste. Er verschmähte eigene Ehre, eigenen
Besitz, ebenso jede selbstische Lust und erwählte Schmach,
Entblößung und Kreuz. Das tat er aber in Einfalt gegen
Gott, die ihm von den Menschen als Torheit angerechnet
wurde, so daß sich alle an ihm ärgerten. Die Reinheit   Matth. 11, 6;
seiner Einfalt wurde ihnen zur Größe seiner Torheit. Auf   13, 57; 15, 12;
alle weltlich gearteten Erwartungen der Seinen, der Juden   26, 31; 27, 43
und der Griechen antwortete er mit dem Hinweis auf sein

33

Kreuz, sein Grab und seine Auferstehung. Welche Torheit für den Menschengeist! Sie nährten ihre verkehrten Hoffnungen aus ihrer eigenen Weisheit; seine Speise aber war es, den Willen seines Vaters in der Vollendung des ihm aufgetragenen Werkes zu tun. Was war denn die Befolgung des Vaterwillens zur Vollendung des aufgetragenen Werkes? – Sie war Schrifterfüllung, Einlösung des schriftlich vorhandenen Gotteswortes. Der vom Himmel gekommen war und jeden Augenblick auf Erden am Munde Gottes lebte, band sich an das bereits geredete Gotteswort, um es zur Erfüllung zu bringen! Er dachte nichts als Gott; aber er dachte auf Grund des vorliegenden Wortes Gottes. Also war seine Einfalt Einfalt gegenüber Gott und dem Worte Gottes. Es war schriftgeleitete Einfalt, und gerade diese Schriftweisheit, mit der er die Schriftgelehrten schlug und über die sie sich verwundern mußten, wurde ihnen zum ausschlaggebenden Ärgernis und der Weltweisheit zur unannehmbaren und bleibenden Torheit, so daß bis zur Stunde Rabbiner, Philosophen und Theologen den Inhalt und den Ausgang des Lebens Jesu vom Alten Testament loszulösen versuchen. Folglich müssen sie das Leben und Sterben Jesu auch von der neutestamentlichen Schriftaussage loszulösen suchen; denn auch diese läuft auf alttestamentliche Schrifterfüllung hinaus. So lösen sie Jesus Christus nahezu vom ganzen Wort Gottes und das Wort Gottes von Jesus Christus los, und das alles um der Torheit des Wortes vom Kreuz willen!

Hat ihre Menschenweisheit aber darin nicht tatsächlich recht, daß es für sie nichts Ärgerlicheres und Törichteres gibt als Jesus Christus, gelebt, gestorben, begraben und auferweckt »nach den Schriften«? Wahrlich, Gottes schriftgemäße Weisheit *muß* der vernunftgemäßen Menschenweisheit Torheit sein, sonst könnte sie ja den Törichten

1. Kor. 15, 3. 4;
Luk. 24, 25 – 27

und Einfältigen Gottes nicht Weisheit und Gotteskraft sein! Die ärgerliche Torheit der Einfalt ist gerade das Siegel ihrer Göttlichkeit. Durch sie macht Gott die Weisheit dieser Welt zur Torheit, und ewig besitzt sie Christus im Wort und das Wort in Christus unzertrennlich. Die Torheit der Einfalt ist so unwandelbar wie Christus und sein Wort; denn sie ist geheiligt in der Wahrheit Gottes und des Wortes Gottes. 1. Kor. 1, 20 Joh. 17, 17

Weil die Torheit der Einfalt in der Wahrheit des Wortes Gottes geheiligt ist, ebendeshalb bleibt sie im Heiligtum. Ihr liegt nichts an Lehrstreitigkeiten und religiösem Parteigezänk. Dem Kampf um Dogmen und Glaubensbekenntnisse geht sie aus dem Wege. Sie kann da nicht mitmachen; sie ist viel zu töricht und einfältig dazu. Der Tumult im Vorhof scheint ihr auch nahezu zwecklos. Was hilft das harte und laute Pochen aufs äußerliche Wort, wobei meistens der Geist des Wortes verletzt wird? Die Einfalt fehlt bei diesem rechthaberischen Treiben. Mögen ichbewußte Eiferer und ehrgeizige Gelehrte sich um die Schale zanken: die törichte Einfalt labt sich still am Kern; ihr kann man nichts nehmen. Sie läßt andere auf ihr anstudiertes religiöses Wissen stolz sein und es aufgebläht auf dem bunten Markt der menschlichen Meinungen feilhalten: sie bleibt daheim im stillen Kämmerlein ihrer Torheit, die ihre einzige Weisheit bleibt. Mögen andere auf der christlichen Schaubühne sich geistreich gebärden und von menschlicher Beifallsbezeigung leben: ihr ist diese ichverliebte Spielerei immer mehr vergangen. Mögen andere sich Namen machen und groß werden: sie hat keinen sehnlicheren Wunsch als den, sich in Jesus zu verlieren und immer geringer zu werden in ihren Augen. Mögen andere große Dinge tun: sie kennt kein größer Ding, als täglich immer törichter und einfältiger in der Torheit Jesu zu werden. Nur so kann sie ihren Meister preisen.

Die heilige Einfalt brütet auch keine Sonderlehren aus und führt keine neuen Richtungen ein; ihre Torheit verbietet ihr das. Ebensowenig verliert sie sich an Richtungen, Rotten und Sekten; sie will sich nur immer ungeteilter an Jesus selbst verlieren. Darum glaubt sie auch niemals dem verführerischen Ruf: Hier ist Christus! oder: Da ist

Matth. 24, 23 Christus! Sie sucht Christus weder in entlegener Wüste noch in fremder Kammer: sie weiß ihn ja immer bei sich. Ihre Torheit, die nur des Erzhirten Stimme kennt, schützt sie vor den Verführern. Ja, ihre Torheit ist tatsächlich nach allen Seiten hin ihr bester Lebensschutz; sie versteht und weiß und bedarf nichts als Jesus.

II.

DIE SCHMACH DER EINFALT

Darum gibt es auch eine *Schmach* der heiligen Einfalt. Die Torheit der reinen Einfalt gilt der Weltweisheit als die gemeine Dummheit der Einfalt. Ihre geistgeleitete Beschränkung auf Jesus hin nennt man geistlose Beschränktheit. Ihre Glaubensfrische belächelt man als Leichtgläubigkeit. Ihre glaubenstätige Ruhe in Jesus verdächtigt man als fruchtlose Trägheit. Ihre Geburt aus Gottes Geist bestreitet man und erniedrigt die himmlische Einfalt zur Tochter der irdischen Geistlosigkeit. Ihren Verkehr mit Christus in Gott heißen die Verkehrten Verkehrtheit. Ihren Himmelssinn belächelt man als Stumpfsinn. Ihre selige Verlorenheit in Christus bedauert man als seelenloses Verlorensein. Ihr reiches Leben beklagt man als armen Tod.
Sprichwörtlich bemitleidete, belächelte »heilige Einfalt«, je seltener dein reines Gedeihen ist, desto öffentlicher ist deine Schmach!

So hat man es schon deinem Meister gemacht, der außerhalb der Reihe der Weisen dieser Welt und außerhalb der Ordnung des aaronitischen Priestertums das Gotteswerk der Einfalt vollbrachte und dafür auch außerhalb des Tores leiden mußte. Komm, laß uns zu ihm hinausgehen, um mit ihm außerhalb des Lagers der gescheiten Leute seine Schmach zu tragen! Zu ihm, zu ihm, und nur zu ihm, o meine Seele, geht unser Weg, der Weg der Einfalt, der zum Kreuz führt, der Weg, der jenen Schmähern vor dem Kreuz Verwegenheit schien! Hebr. 13, 12. 13

Ja, geliebte Einfalt, deine Torheit bleibe deine Weisheit, deine Schmach deine Würde! Mag man deinen Namen gefälscht und mißbraucht, dein Wesen verkannt und verurteilt haben, du bist und bleibst dennoch Weg und Schwelle zum Herzen Jesu und Gottes! Nie werden die Klugen dieser Erde den Anfang deiner Tage und den Stammbaum deines Geschlechtes finden, du in der Verborgenheit machtvollste Tochter des Königs des Friedens! Hebr. 7, 1–4

I2.

DIE OHNMACHT DER EINFALT

Nur allein die Torheit der wahren Einfalt lebt Jesu Wort aus: »Ohne mich könnt ihr nichts tun.« Eben deshalb trägt sie ja Schmach: ihre so auffällige Unfähigkeit wird geschmäht, ihre hilfsbedürftige Abhängigkeit wird verschmäht. Das ist die *Ohnmacht* der heiligen Einfalt. Joh. 15, 5

Wann begann man ihren Meister zu verhöhnen? – Als die Ohnmacht seiner Einfalt nach seines Vaters Willen offenbar wurde. Solange er noch gewaltig redete und erstaunliche Zeichen und Wunder tat, verhöhnte ihn niemand; da war er noch der Meister, Prophet und Wunder-

täter, dem alles Volk nachlief. Ach, sie hatten nie erkannt, daß seine äußere Vollmacht in Worten und Wer-
ken vor Menschen nur die Frucht seiner inneren Ohnmacht in Einfalt vor Gott war! Denn wer mag wohl dem
Bekenntnis seiner inneren Ohnmacht geglaubt haben, daß
er nichts, aber auch gar nichts von sich selber tun könne?
Wohl niemand hielt ihn für so hilfsbedürftig unfähig in
sich selber. Darum mußte ihn Gott öffentlich in seiner inneren Ohnmacht dadurch bloßstellen, daß er ihn in der
Menschen und Sünder Hände gab, damit die Ohnmacht
seiner Einfalt, in der er Gott diente, schmachvoll vor
allem Volk aufgedeckt würde. Nun sahen sie seine Unfähigkeit in sich selbst. Jetzt war er der Verworfene, der
Allerverachtetste und Unwerteste. Nun brach der Hohn
los. Die Ohnmacht seiner Einfalt, in der er Gott vertraut
hatte, wurde zum öffentlichen Gespött. Nur so konnte sie
offenbar und durch Gott verherrlicht werden.

Keinem Einfaltskind bleibt die Schmach der Ohnmacht
erspart. Sie müssen alle irgendwie verstummen vor ihren
Scherern. Solang ihre einzig mögliche Tätigkeit Glaubenstätigkeit ist, ruht das Wohlgefallen Gottes auf ihnen,
und er segnet ihren tätigen Glauben und verherrlicht ihn
vor den Menschen durch allerlei sichtliches Wohlgelingen.
Sobald er aber ihren fruchtbar tätigen Glauben in einen
scheinbar unfruchtbaren leidenden Glauben umzuwandeln
beginnt, der die Ohnmacht der Glaubenseinfalt bloßstellt,
damit ihre Kreuzesherrlichkeit offenbar werde, werden
auch sie mit Hohn übergossen: Wo ist nun der Gott der
Einfalt? Seht, sie können sich selber nicht helfen, und ihr
Gott hilft ihnen auch nicht!

Wahrlich, nichts bringt die Einfalt so in Verruf und ins
Gespött wie ihr freiwilliger Verzicht auf den Gebrauch
der dem Menschen angeborenen natürlichen Hilfskräfte!
Die Einfältigen sind die Dummen, die die kluge Selbst-

Joh. 5, 19

hilfe preisgegeben haben! Ihre tätige Abhängigkeit von Gott scheint unglaublich, ihre leidende Abhängigkeit von Gott lächerlich. O, wieviel heilig leidende, heilig harrende Einfalt ist so verspottet worden in allerlei Not der Seele und des Leibes!

Hier unterscheiden sich Vernunft und Glaube aufs deutlichste. Tausendfach vielfältige Mittel und Wege hat die Vernunft allerwegen; die Glaubenseinfalt aber hat immer nur einen: den Kreuzesweg Christi, den Weg der Aufopferung und Vernichtung des natürlichen Wollens und Könnens vor Gott.

Hier zeigt sich allerdings auch der bedeutsame Unterschied zwischen Halbglauben und Vollglauben. Die allerwenigsten der Gläubigen sind gewillt, auf die Ohnmacht der Einfalt einzugehen. Viel Glaube ist bloß äußerlich übernommener Bekenntnisglaube, der höchstens in der natürlichen Einfalt hergebrachter religiöser Gewohnheiten lebt; von dem aus Gott geborenen und für Gott abgesonderten Einfaltsleben hat er keine Ahnung. Ein anderer Glaube ist wohl bewußt erlebter und sogar recht streitbarer Glaube; dennoch ist er nur fleischlicher Glaube, der sich vertritt und verficht mit allen Vernunftskräften der Ichentfaltung. Ihm ist das heilige Einfaltsleben nur kulturwidriger »Pietismus« und »Quietismus«, das heißt vernunftarme Schwärmerei. Wieder andere Gläubige leben wohl verbunden mit dem Worte Gottes, aber nicht getrennt durch Christi Kreuz von sich selbst. Nie haben sie sich in biblisch tiefer Buße endgültig mit sich selbst entzweien lassen, um in steter Abkehr von sich selbst der Einfalt Christi zu leben. So leben sie in der weltförmigen Vielheit der offenen oder geheimen Ehrsucht, Habsucht und Genußsucht; das für Jesus abgesonderte Einfaltsleben aber scheint ihnen ebenso unerträglich wie unmöglich.

Alle diese »Gläubigen« fürchten und fliehen in Kreuzes-
scheu die Ohnmacht der himmlischen Einfalt. Nur nicht
wirklich arm und hilflos in sich selbst werden! Nur nicht
tatsächlich die Freude an sich selbst verlieren! Nur nicht
wirklich dem Zauberglanz der Sinnenwelt, dem Ehrge-
pränge der Menschenwelt und dem Vernunftsdünkel der
Ichwelt absterben! Nur nicht hinabsinken in die verhöhnte
Ohnmacht der Einfalt! So lebt man der Welt ähnlich in
mannigfaltigen Ehren, Gütern und Lüsten und singt: »So
nimm denn meine Hände und führe mich!« und: »Ich
kann allein nicht gehen, nicht einen Schritt«.
O meine Seele, laß uns mit allen Gnadenkräften der reinen Einfalt solchem Betrug entfliehen! Herr, führe uns
hinab in die Ohnmacht Deiner Kreuzeseinfalt: Mache es
wahr, daß wir nichts, aber auch nichts tun können ohne
Dich! Laß uns immer weniger denken und tun, wie alle
Welt denkt und tut! Schenke es uns, ohnmächtig in uns
selbst, aus Dir zu leben, wie Du aus dem Vater lebtest!

13.

DIE SCHWEIGSAMKEIT DER EINFALT

Zur Ohnmacht der heiligen Einfalt gehört die *Schweigsamkeit* der heiligen Einfalt. Je mehr die leidende Abhängigkeit Jesu von seinem Vater im Himmel auf Erden
offenbar wurde, desto mehr verstummte er vor den Menschen. Falsche Zeugen redeten, Herodes fragte mancherlei: Jesus schwieg. Schweigsamkeit ist die letzte Waffe der
Ohnmacht.
Inmitten einer redseligen, geschwätzigen Welt redet die
himmlische Einfalt überhaupt mehr mit Gott als mit den
Menschen. Sie, die Zwiespältigen und Vielfältigen, wis-

sen immer vielerlei zu reden, die himmlische Einfalt weiß immer nur das Eine. Von diesem Einen muß sie reden im Glauben; von diesem Einen muß sie aber auch ebensooft schweigen im Glauben, damit sie die Perlen ihrer Worte und das Heilige ihres Geistes nicht dem tierischen Fleisch der Menschen ausliefere. Sie ist weder ein schreiendes Gassenkind noch eine weibische Schwatzbase, noch ein maulfertiger Ausschreier. Nie lärmte ihr Meister nach Volks- und Menschenart auf den Gassen; aber lehrend im Tempel schrie er dreimal laut das in ihm erschienene Heil aus, und laut schreiend starb er für die Welt am Kreuz. Jes. 42, 2

Joh. 7, 28. 37; 12, 44; Matth. 27, 50

Die vielgeschäftige Welt hat immer viel großrednerische Absichten voll selbstsüchtiger Nebenabsichten, zu deren Erreichung sie viele Worte machen muß. So ist die Menschenwelt durchtobt von einem wüsten Stimmengewirre; die heilige Einfalt aber hat nichts mit dem vielspältigen Weltlärm zu tun. Sie geht taub und stumm durch sein Toben. Ihre einzige Absicht ist, in allezeit wachsamer und betender Glaubensbetätigung ihre innere Rede mit Jesus in Fluß zu erhalten, um durch ihn Gott beständig ein Lobopfer zu bringen, das heißt eine Frucht der inneren Lippen, die seinen Namen preisen. Wie könnte sie dabei Zeit finden, unnütz mit Menschen zu schwatzen? Wahrlich, der versiegelte Mund der Einfalt ist eines der deutlichen Merkmale ihrer Heiligkeit! Ihre Lippen sind berührt worden mit der glühenden Kohle vom Altar; ihr entsühnter Mund ist gottgeweiht. Immer entschiedener wird sie das göttliche Siegel der Schweigsamkeit unversehrt zu erhalten suchen und es immer seltener durch gemeine Menschenmacht brechen lassen; denn, ach, welches Weh bewegt sie, wenn man ihr die einzige Waffe ihrer Ohnmacht entwunden hat und sie ihr göttliches Siegel beschädigt weiß! Hebr. 13, 15

Hohelied 4, 12

Jes. 6, 6. 7

41

Doch wunderbar! Allmählich wird die Schweigsamkeit der Einfalt vor Menschen auch zur Schweigsamkeit vor Gott. Ihr Reden zu Gott wird abgelöst durch ein immer willigeres, fleißigeres, innerlicheres Hören auf Gott. Seine eigene Rede in ihr gewinnt die Übermacht, und schließlich hört sie in sich nichts als ihn. Sie lauscht nur und spricht nach, und Gott preist sich selbst in ihr.

14.

DIE EINSAMKEIT DER EINFALT

So wird die Seele auf dem Wege der Schweigsamkeit in eine immer ernstere Verschlossenheit und tiefere Verborgenheit hineingeleitet. Gott will sie ganz für sich haben. Dazu trennt er sie immer mehr von dem Wirrwarr der Außenwelt, besonders von der Menschenwelt. Die Seele wird in die so notwendige *Einsamkeit* der heiligen Einfalt versetzt.

Nichts entspricht der göttlichen Natur der Einfalt so sehr wie dieser Aufenthalt im Verborgenen. Es ist aber mehr ein inneres als ein äußeres Verbergen. Die Weltfremdheit wird schmerzlicher empfunden und williger hingenommen, die verderbte adamitische Natur in uns besser erkannt und entschlossener preisgegeben, die Unzulänglichkeit und Dürftigkeit aller Menschen immer enttäuschungsreicher offenbar und stillschweigender gemieden. Dies alles führt zu vermehrter Eingezogenheit der Seele und damit zur inneren Einsamkeit der Einfalt. Es ist die ausreifende Trennung von der sinnlich-natürlichen Wirklichkeit, die notgedrungene Abgewandtheit und Abgeschiedenheit von der Eitelkeit des Geschaffenen und der Geschöpfe. Mit freudiger Zustimmung findet die wahre Ein-

falt, daß sie allein auf Gott in Christus angewiesen ist.
So läßt sie sich selig einschließen ins Kämmerlein ihrer
Verborgenheit, wo sie ungeteilt ihrem Herrn anhangen
kann. Da allein gedeiht sie.

Da ist ihr Auge verschlossen gegen die verwirrende Vielheit der Sichtbarkeit und geöffnet für die eine Herrlichkeit des Unsichtbaren. Das ist die erquickende Einsamkeit des Einfaltsauges, das nun tatsächlich nichts mehr
sieht als Jesus allein. Da ist ihr Ohr verschlossen gegen
das betäubende Stimmengewirr aus dem Munde der viel-
und großrednerischen Menschheit und geöffnet für die erlösende, holdselige Rede aus dem Munde des Einen. Das
ist die stärkende Einsamkeit des Einfaltsohres, das sich
an der Stimme seines guten Hirten erlabt. Da ist der
Mund der Einfalt verschlossen gegenüber der Unzulänglichkeit der Geschöpfe, aber weit aufgetan, daß Gott ihn
fülle und bewege. Das heißt den Mund in die fruchtbare
Einsamkeit setzen, daß Gott hernach durch ihn gesegnete
Worte der Einfalt reden könne.

Oft aber müssen auch Hände und Füße des Einfaltskindes
ihr Tasten und Tun einstellen und sich in die Einsamkeit
setzen lassen, dann wird die Einsamkeit der Einfalt auch
zur äußeren Feier und vielleicht auch zur äußeren Verborgenheit vor Menschen. Da sind die Füße von der
Menge ihrer Alltagswege abgelenkt und finden ihr Bethel.
Und da sind auch die Hände der irdischen Vielgeschäftigkeit entnommen, um in feiernder Einsamkeit sich flei-
ßiger zu falten zum Beten. Wohl dem Einfaltskind, das
auch sein Riechen und Schmecken in die Einsamkeit setzen
läßt! Da wird die Feier zum hohen Fasten, wo die Seele
Himmelsluft einatmen, die Freundlichkeit ihres Herrn
schmecken und satt werden darf an seinem Bilde.

So wurde Mose satt auf dem Berge. So nährtest Du, o
Herr, Dich in der Wüste und entwichest oftmals allein an

Psalm 34, 9;
17, 15

43

Deinen eigenen, einsamen Ort. Herr, so errette auch meine Seele, meine einsame, von dem Schwert des bunten Haufens, von dem hündischen Lärm der Menge! Führe mich tiefer hinein in das heilsame Feiern und Fasten aller Sinne in der nährenden Einsamkeit meiner Einfalt bei Dir!

Psalm 22, 21

15.

DIE STILLE DER EINFALT

Die himmlische Einfalt ist ja eigentlich immer einsam und allein auf Erden. Sie weiß sich Gott verlobt in jedem Gedränge und der Stimme des Geistes allein gewärtig bei jedem Lärm. Sie sieht und hört immer über das hinaus, was ihr die äußeren Sinne zutragen und die Menschen ihr zumuten. Ihr Sinnen und Trachten kann sich nie ans Irdische und Menschliche verlieren. Etwas Unberührbares und Unberaubbares adelt sie, etwas unerreichbar Innerliches: das ist die *Stille* der heiligen Einfalt. Beide, ihre Schweigsamkeit und ihre Einsamkeit, haben ihre Wurzelfestigkeit in der Tiefe dieser Stille, und zwar hat diese hehre und fruchtbare Stille eine dreifache Tiefe. Es ist die Stille *zu*, *vor* und *in* Gott.

In der Stille *zu* Gott neigt sich die schweigende Seele hinab in ihre Einfalt zum Erhorchen der Stimme ihres Herrn, durch die sie jede zarte Weisung zur rechtzeitigen Hilfe erwartet und empfängt. Da werden ihr die bestimmten Geheimnisse seiner erwählenden und führenden Güte anvertraut und die lichten Erkenntnisse seiner machtvollen Weisheit eingeprägt, der sie sich innig ergibt. Es ist die zunehmende Stille des einfältigen Vertrauens, das nie zuschanden werden kann.

Psalm 62, 2

In der Stille *vor* Gott verharrt die schweigende Seele in der Gegenwart Gottes zum einfältigen Gehorchen gegenüber der Stimme ihres Herrn. Da wird sie keusch gemacht im Gehorsam gegen die empfangene Wahrheit zu jeder Art von Liebe, in der sie ihres Herrn Gebot erfüllt. Alles, was der Meister ihr sagt, das tut sie. Kein Widerspruch fleischlicher Selbstliebe ertönt, kein Wirbelwind des Eigenwillens erbraust. Welch friedliche Stille des einfältigen Gehorsams vor Gott! Welch unverrücktes seliges Bleiben in seiner Rede und in seinen Geboten! **1. Petr. 1, 22**

In der Stille *in* Gott ist die Seele, durchtränkt und durchsättigt mit Gottes Willen und Wesen, schweigend versunken in die Tiefen der Gottheit, in denen sie nun in unbeschreiblicher Einfalt ruht. Dem Geschaffenen und den Geschöpfen und ihrer einstigen stolzen Selbstgenüge entwöhnt, ist nun alles irrige Begehren der Seele beschwichtigt und verebbt. Alles, alles, was sie zum wirklichen und ewigen Leben bedarf, hat sie gefunden in Gott. Darf ich nicht meine Seele vergleichen einem gestillten Kind auf der Mutter Schoß? Ja, wie ein gestilltes Kind ist meine Seele bei mir! Es ist die lautlose Stille der Sättigung mit **Psalm 131, 2** Gott selbst, und in ihr ist die himmlische Einfalt auf Erden vollendet.

16.

DIE BEWÄHRUNG DER EINFALT

In diese zunehmende, friedliche und lautlose Stille gelangt aber die Einfaltsseele nur durch viel Kampf. Ist nicht alles in der Welt und in ihrer eigenen beschädigten Natur der Einfalt und ihrer Einsamkeit und Stille entgegen? Wahrlich, es gibt nichts Fremderes auf Erden als die christliche Einfalt! Wo immer sie inmitten des erstickenden Gewirres der irdischen Vielfältigkeit in ihrer Einzigartigkeit zu blühen wagt, da trachtet ihr bald alles und jedes nach dem Leben. Sie wächst auf unter lauter Todfeinden, deren sie sich unausgesetzt erwehren muß. Nichts jedoch fördert das Gedeihen ihrer himmlischen Eigenart so wie dieser irdische Wehrkampf. Er fordert die *Bewährung* der heiligen Einfalt.

Arme heilige Einfalt! Die Notwendigkeit deines Daseins auf Erden wird bestritten, deine Seltenheit für gut befunden, dein göttlicher Geber verworfen, deine Erlangung erschwert, deine Verwunderung belächelt, deine Tätigkeit gehemmt und verfolgt, deine Weisheit verspottet, deine Ausrüstung verachtet, deine Speise verfälscht und vergiftet, deine Torheit angeprangert, deine Schmach verbreitet, deine Ohnmacht gepeinigt, deine Schweigsamkeit verhöhnt, deine Einsamkeit verdächtigt und deine Stille immerfort gestört! Wie willst du dich gegen die bunte Meute deiner Hasser und Bedränger wehren? Ach, du hast ja nichts mit auf diese Erde gebracht als deine Fähigkeit, Gott und seinem Gesalbten aufs Wort hin zu glauben! Ach, und nichts hast du auf Erden gelernt, und nichts kannst und vermagst du als dies Eine: glauben! Wahrlich, nur dein Glaube ist es, in dem dich niemand überwinden kann; denn er quillt dir unaufhörlich aus dem Herzen!

Himmlische Einfalt, du einzig ungeteiltes Wesen inmitten
dieser verwirrten Menschheit, so kämpfe den einzig guten
und schönen Kampf auf Erden – denn alle anderen
Kämpfe sind verzweifelt häßlich und böse –, den Kampf
des Glaubens! Du hast ja den Sieg voraus; denn du allein
darfst fröhlich sagen: Gott ist mit mir! Du Blutentspros-
sene von Golgatha, du Flammengekrönte und Geisterfüllte
vom Pfingstmorgen, dir allein konnte die morgenfrische
Bewahrung des *einen* kostbaren Glaubens anvertraut werden! Seine Bewahrung ist deine Bewährung!

1. Tim. 1, 18;
6, 12;
2. Tim. 4, 7

17.

DIE GEBETSARBEIT DER EINFALT

Die allezeit mutigste Glaubenstat auf Erden ist *die Gebetsarbeit* der heiligen Einfalt. Nur die Einfalt kann wahrhaftig beten. Das Gebet ist ihr unmittelbarer Lebensaus-
druck. Alles andere Beten ist zwiespältige Quälerei, Zwit-
tergeburt, Kunstprodukt. Vernunft und Wissenschaft lehren nie beten. Sie sind nur der vornehmste Strick Satans,
an dem er die Menschenseele aus dem Gebetskämmerlein
herauszerrt und in die Wüste der Gebetslosigkeit hinein-
schleppt. Mit diesem vornehmen Strick hat Satan mehr
Seelen eingefangen als mit den plumpen Ketten aller gemeinen Verbrechen, Süchte und Lüste. Gebetsgeist verloren, Einfalt dahin, Glaube in Gefahr, Seele geschädigt!
Bewahrung des Glaubens ist deshalb zu allererst Bewährung in der Gebetseinfalt.
Alle Eigenschaften der heiligen Einfalt wollen sich aus-
sprechen im Gebet oder dienen der Zurüstung zum Gebet.
Ihre Verwunderung dankt, ihr Glaube redet, ihre Weis-

47

heit lehrt, durch ihren Gebetsmund zeugt Gott von sich selbst, sein Wort, ihre Speise, wirkt, ihre Torheit rühmt, ihre Schmach preist, ihre Ohnmacht seufzt, ihre Schweigsamkeit stammelt, ihre Einsamkeit rüstet, ihre Stille empfängt.

Nichts ist der göttlichen Natur der Einfalt angemessener als das Gebet; denn nichts ist den Sinnen und dem Verstand der menschlichen Natur fremder als das Gebet. Wenn die Einfalt betet, tut sie, was die Engel allezeit in der Gegenwart Gottes im Himmel tun. Da ist die Seele erhaben über die Sinne, erhöht über die Vernunft, entnommen den Menschen, gelöst vom fleischlichen Ich. Nichts bringt so dem übernatürlichen Leben nahe wie das einfältige Gebet. Die zerstreuende Mannigfaltigkeit der Erscheinungen ist verbannt, die ablenkende Zwiespältigkeit der Gedanken ausgeschaltet, der Lärm der Menschen versunken, das Begehren des Fleisches gedämpft, die Schwere des Leibes wie überwunden. Aber dies alles ist nur der Glaubenseinfalt geschenkt, die beim Gebet ehrerbietig in den Himmel der Gegenwart Gottes eingeht. Jeder Mangel an erhebender Gebetskraft ist eben Mangel an Glaubenseinfalt. Nur die betende Einfalt kümmert sich nichts um fremde Gesichte, Geräusche, Gedanken, Gefühle, die sonst den Beter stören; ihr allein ist es lauterlich um Gott und um sonst nichts zu tun. Ihr ureigentliches Geschäft ist es, sich über alle Umstände hinaus Gott zu überlassen, das heißt, allezeit betend nach oben zu leben. So betätigt sie gerade am unmittelbarsten im Gebet den Glauben, der feste Zuversicht ist auf das, was man hofft, und gewisse Überzeugung von Dingen, die man nicht sieht.

Hebr. 11, 1

Die Gebetsarbeit der Glaubenseinfalt beginnt immer mit dem Lobpreis Gottes. Loben und Preisen ist mehr als Bitten und Fürbitten. Es ist auch noch mehr als Danken. Die

Einfalt bringt Gott Lobopfer um seiner selbst willen, nicht zuerst um empfangener Wohltat oder Erhörung willen. Sie betet einfach an, und nichts tut sie lieber als dies. Sie wartet weder auf persönliche Ursachen noch auf persönliche Gefühle. Ja, je weniger sie Ursache zum Loben hat und je weniger sie Freudigkeit zum Preisen fühlt, desto mehr Lobpreis opfert sie, eben weil Gott beständige Anbetung gebührt, ganz unabhängig von unserem engen persönlichen Befinden. Die anbetende Einfalt wird vom Geiste Gottes und durch das Geheiß des Wortes Gottes bewegt und nicht von Vernunfts- oder Gefühlsgründen. Eben darin erweist sie ihre himmlische Art und Überlegenheit, und so allein überwindet sie in jeder Drangsal und Trübsal. Wahrlich, keinen schnelleren Sieg angesichts drohender Versuchungen und Finsternisse gibt es als sofortiges rücksichtslos-einfältiges anbetendes Lobpreisen Gottes! Hier ist triumphierende Bewährung der Einfalt, die der Vernunft und der sinnlichen Natur grauenhaft erscheint; denn mit allem nur möglichen Widerstand wehren sich beide gegen dies unbedenkliche Lobopfer. Hier allein ist deshalb Anbetung im Geist und in der Wahrheit. Wahrlich, nur die lautere Einfalt, die Geist von Gott ist, vermag Gott im Geist und in der Wahrheit anzubeten! Joh. 4, 24

Solches Lobopfer Gottes im Geist als »Frucht der Lippen« Hebr. 13, 15 bringt die Einfalt beständig, und es gelingt ihr vielleicht am reinsten in der Nacht, wenn die Sinne schon von selbst unbeschäftigter und die Geschöpfe wie vernichtet sind, der Geist aber um so unbehelligter wacht. O, meine Seele, laß uns überfließend werden in diesem nächtlichen Gottesdienst, den niemand verrichten kann als die lichte Einfalt!

Die Fortsetzung der Gebetsarbeit besteht im Danken. Ach, Danken ist noch so viel mehr als Bitten und Empfangen!

Es gibt auch ein Danken ohne alle Beziehungen zum Empfangen. Nur die Einfalt kennt und pflegt es. Es ist nichts Geringeres als der Ausdruck ihrer steten Abhängigkeit von Gott. Sie sucht und besitzt ja nichts als Gott. Darum muß sie für ihn selbst, der sich ihr in Christus gegeben, unaufhörlich danken. Sie besitzt alles nur in ihm und für ihn. Deshalb kann sie auch ehrlich für alle sogenannten Verluste danken; denn sie kann schlechterdings nichts verlieren: in Gott gewinnt sie alles wieder, hat sie doch bereits alles an ihn verloren und in ihm gewonnen! Was könnte ihr auf Erden genommen werden, was sie auf Erden noch bereichern? So bleibt ihr nur übrig, unbedingt und unermeßlich zu danken.

Eine Einfaltsseele gab mir einst die rechte Antwort. Ich wollte mich dem lieben Gefährten meiner Berufung für allerlei empfangene Wohltat dankbar erweisen und fragte ihn: »Hast du irgendwelche Gebetsanliegen, die ich mit auf mich nehmen und in denen ich dir fürbittend beistehen darf?« Er besann sich eine Weile und beschied mich dann schlicht: »Ach, ich weiß jetzt nur das Eine: bitte, hilf mir danken!« Ich staunte; denn eine solche Bitte war mir noch nie vorgekommen. Welche Unmengen von Fürbitten sind mir schon aufgeladen worden! Dieser Sohn der Einfalt aber brauchte Hilfe im Danken! Er konnte allein nicht mehr fertig werden mit Danken! Welche Wonne der Einfalt, mit Dankarbeit überhäuft zu sein!

Du unersättlich arme Welt des Unglaubens, bar aller himmlischen Einfalt, voll aller selbstsüchtigen List, fiebernd in deiner Begehrlichkeit, betrogen in all deiner Habe, hättest du eine Ahnung von der unermeßlichen Gottesfülle der Kinder der Einfalt!

Nur die Einfalt ist auch fähig, zu bitten und zu empfangen. Ihr bereitet die Bedingung ihres Meisters keine Schwierigkeiten, zu glauben, daß alles, was sie erbittet, ihr auch werden wird, wenn sie glaubt, daß sie es bereits empfangen hat. Denn nur die der verderblichen Lust der Welt entronnenen Menschen trauen den überaus großen und wunderbaren Verheißungen ihres Gottes, die allesamt in Christus Jesus Ja und Amen sind, und verwirklichen sie Gott zur Verherrlichung über alles Denkbare und Spürbare hinaus durch ihre bittende und empfangende Glaubenseinfalt. Nur die Einfalt erlebt das immer neue Wunder der Gebetserhörung. *Mark. 11, 24*

2. Petr. 1, 4; 2. Kor. 1, 20; Eph. 3, 20

Aber nie ist die Einfalt wundersüchtig; denn nur sie allein glaubt ja, ohne Wunder und Zeichen zu sehen. Nur der Zweifel, der nicht an Wunder glaubt, fordert Zeichen und Wunder zu seiner Stillung und beweist eben damit seine verkehrte Art; der Einfalt aber ist das Wunder gar kein Wunder im verwunderlichen Sinne. Ihr ist das sogenannte Wunder so selbstverständlich, daß sie es als Sondererscheinung weder begehrt noch, wenn es da ist, sich groß darüber verwundert. Die Einfalt lebt und webt im Wunder; denn sie allein lebt und webt bewußt und ungeteilt in Gott. Nur dies unerklärliche Bewußtsein, Gott in sich und sich in Gott zu finden, ist das *eine* große Wunder, über das sie sich in staunender Einfalt so sehr verwundert, daß ihr alle weiteren Wunder nicht mehr verwunderlich sind. Gerade deshalb vermag sie einfältig bittende und einfältig empfangende Gebetsarbeit zu tun, die das Wunder der Erhörung einfach als folgerichtiges Ergebnis ihrer Glaubenstätigkeit auffaßt. Nicht das Wunder als Wunder, sondern der ewig wunderbare heilige Gotteswille soll verwirklicht werden in Erfüllung der Verheißungen Gottes laut dem Worte Gottes. *Joh. 4, 48*

Einfalt nimmt die Erhörung ihrer Bitten immer schon vorweg. Eben darin besteht ihre Einfalt. Auf sein Wort hin: »Was ihr mich bitten werdet in meinem Namen, das will

51

Joh. 14, 14
Joh. 11, 42

1. Joh. 5, 14. 15

ich tun«, spricht sie es dem Meister nach: »Ich wußte wohl, daß Du mich allezeit hörst«. So kann aber nur die reine Einfalt sprechen, die durch den Heiligen Geist glaubend im Wort und Willen Gottes ruht. Ihr geschieht immer nach ihrem Glauben, weil sie nie eigenwillig, sondern nach dem Willen Gottes bittet. Sie will weder in eigenwilligem Glauben die Gewährung einer Bitte erzwingen noch zweifelnd eine Bitte preisgeben. Beides wäre ganz gegen die Natur der Einfalt; denn eine eigenwillige Einfalt ist keine Einfalt mehr, sondern bereits Zwiespalt mit Gott. Ebensowenig wie die Einfalt das Wunder um des Wunders willen sucht, ebensowenig sucht sie die Gewährung einer Bitte um der Gewährung willen. Daß Gottes Wille in Erfüllung der Verheißung Gottes zur Ehre Gottes durch ihre glaubenstätige Gebetsarbeit geschehe, das ist der einzige Wille der bittenden und empfangenden Einfalt. So kann die Einfalt im Glauben bitten und sofort auch im Glauben für die Erhörung ihrer Bitte danken, um lobend in demselben Glauben in freudiger Zuversicht auf die irdische Verwirklichung der himmlischen Erhörung zu warten und die Gewährung ihrer Bitte zur Ehre des Gebers zu empfangen.

Herr, reinige meine Einfalt zu solch zuversichtlichem Bitten, Danken, Warten und Empfangen! Verbanne aus meiner Gebetsarbeit alle trotzigen oder zweifelnden Überlegungen der Vernunft und wankelmütigen Gefühle und laß mich einfältig hingegeben sein und bleiben Deinem Wort und Geist!

Die notwendigste Gebetsarbeit der Einfalt ist das unablässige, allzeitige Gebet. Als fortwährendes inneres Gebet ist es die geläufige Lebensäußerung ihres stets auf Christus gerichteten Geistessinns. Es besteht in der innerlichen Wiederholung von Schriftworten, von denen die Einfalt tagtäglich lebt, sowie in der oftmaligen stillen Anrufung des Namens Jesus, der die Einfalt immer schützend und stärkend begleitet, aber auch in lautlosen Zwiegesprächen mit dem Herrn ihres Herzens durch den innewohnenden Geist, in inneren Ausbrüchen des Preisens und Lobens als Singen und Spielen in ihrem Herzen, die auch zum lauten Lied werden können, oder in unaussprechlichen Seufzern des Geistes, deren Macht auch Seele und Leib erschüttert. Das anhaltendste Gebet aber besteht in einem einfältig und einförmig hinsinnenden unverlierbaren Andenken an Gott in Christus, das mühelos, ganz ohne gedankliche Ausprägung, immer da ist und in alles Reden und Tun ausschlaggebend mit hineinwirkt. Als das Zeugnis von der steten inneren Gegenwart Christi im Heiligen Geist ist dies Gebet die Hut der Einfalt bei Tag und Nacht. Mit diesem Andenken an Gott in Christus erwacht die Einfalt morgens in seiner Gegenwart, es trägt sie durch alle Stunden des Tages, es gibt dem Tageslauf das innere geistliche Gepräge, es regelt den Abschluß des Tagewerkes, und es verleiht auch der Nacht die göttliche Weihe.

Aber das erhabenste Gebet der Einfalt ist das leidende Gebet. Es ist ihr allerärmstes und zugleich ihr allerreichstes Gebet. So arm ist es, weil ihr bei diesem Gebet die Gedanken, Absichten und Worte ausgehen. Die gottgeschenkte Fähigkeit, im Gebet zweckbewußt zu wirken, erlahmt, verstummt, verarmt, wird weggenommen. Und so reich ist dieses Gebet, weil Gott nur in ihm zu reden beginnt. Nicht mehr der Mensch ist der Wirkende, sondern Gott selbst. Gott ist tätig, der Mensch aber ganz leidend. Er selbst offenbart sich nun in ihr mit lichtvollen Antworten, unvergeßlichen Unterweisungen, machtvollen Weissagungen, seltsamen fremden Zungen, unaussprechlichen Seufzern und tränkt und stärkt die Seele samt dem Leib durch den Zufluß himmlischer Kräfte gleich einem Strom.

1. Kor. 14, 2;
Röm. 8, 26;
Psalm 36, 9

Jes. 65, 24 Oft antwortet Gott auch in dieser Weise, noch während der Mensch zu ihm redet; doch wird immer nur die selbstlos hingegebene leidende Einfalt solche Bezeugungen Gottes durch den Heiligen Geist in Keuschheit zur Ehre ihres Herrn zu erleben vermögen.

Herr, nur weil die Glaubenseinfalt fehlt, fehlt den Deinen auch die fleißige und zuversichtliche Gebetseinfalt. Ach, Herr, weltförmige Zwiespältigkeit zerreißt das Herz der Deinen, so daß ihnen Knie, Hände und Mund gelähmt sind! Laß uns alle durch den Heiligen Geist in ehrlicher Buße schreien lernen nach einem ungeteilten Herzen, das einfältig loben, danken, bitten, empfangen und betend in Dir bleiben kann zur freudigen Verherrlichung Deines Namens! Und alle Einfalt spreche: Amen!

18.

DIE ENTHALTSAMKEIT DER EINFALT

Zur frohen Gebetsarbeit wird nur geschickt, wer in die *Enthaltsamkeit* der heiligen Einfalt eingeht. Wer nicht absagt allem, was er hat, kann nicht Jesu Jünger und deshalb auch nicht Gottes Beter sein. Diese wurzelechte Wahrheit des Christentums ist heute nahezu ausgerottet. Alles wissen, alles besitzen, alles genießen und doch noch Christ sein wollen, das ist heute die traurige Kunst, in der sich viele um Vollkommenheit bemühen. Sie ist Mord an der Einfalt; denn sie zerstört schon das Keimleben der Einfalt. »Wer viel begehrt, wird viel gestört.« Wer Irdisches und Eigenes nicht preisgibt, kann Himmlisches und Göttliches nicht gewinnen. Wer nicht täglich sich selbst gekreuzigt bleibt, der kreuzigt Christus immer wieder, und wer nicht täglich sich selbst stirbt, der stirbt dem

Luk. 14, 33

Christentum, er mag sich sonst so »christlich« dünken wie er will.

Die christliche Einfalt gedeiht nur im Schnittpunkt des Kreuzeszeichens. Sie ist Beschneidung des Herzens in jeder Beziehung. Als geistliche Einfalt ist sie nicht etwas naturhaft Unbewußtes, nichts Schlichtes, Einfaches, das von selbst da ist und als stille Gemütsart von selbst gedeiht. O nein! die geistliche Einfalt ist geistliche Tätigkeit in jedem Sinn. Sie ist überaus bewußtes unausgesetztes geistliches Wirken, Wachen, Wählen, Scheiden, Meiden, Lassen, Fassen. Sie ist nüchternste Besonnenheit in jeder Weise. Sie ist reinstes Wirken des Heiligen Geistes und als solches Todfeindschaft gegen unsere angeborene Natur. Sie ist die himmlisch mächtige Lust des Geistes, die unentwegt gelüstet gegen jede naturmächtige Lust des Fleisches. So kann die christliche Einfalt nur gedeihen im Widerspruch zu allem, was nicht sie selber ist. Wahrlich, es gibt nichts unerbittlicher Abweisendes auf Erden als die himmlische Einfalt! Sie ist und bleibt die unverrückbare, unbeugsame, beständig auf das Eine gerichtete Gangart und Wirkungsweise des Geistes Gottes mit dem Menschenherzen. Der Weg der wahren Einfalt geht wie der Weg der lebendigen Wesen, die der Prophet bei der Erscheinung der Herrlichkeit Gottes erschaute, immer geradeaus: »Wo sie hingingen, da gingen sie stracks vor sich – sie gingen aber, wo der Geist sie hin trieb –; sie wendeten sich nicht, wenn sie gingen.« Die heilige Einfalt läßt alles hinter und unter sich, was nicht mit ihrer Wesensrichtung übereinstimmt. Darin besteht ihre Enthaltsamkeit, und so allein entrinnt sie der mörderischen Vielheit und bleibt im errettenden Einen.

Die christliche Einfalt denkt nur *einen* Gedanken: Christus; demgemäß enthält sie sich alles christuslosen Denkens. Sie duldet keine Gedankenfreiheit, sondern nimmt jeden

Gal. 5, 17

Hes. 1, 12. 14. 17. 20. 21

Gedanken gefangen unter den Gehorsam Christi. Das heißt: sie verweigert jedem Gedanken, der sich wider Christi Geist und Wort auflehnt, das Daseinsrecht. Ihr Denken ist geistgeoffenbartes, geistgeleitetes, geistgeläutertes, biblisches, göttliches Denken. Als solches steht es so himmelhoch über der natürlichen Vernunft, daß diese es nie zu fassen vermag. Das natürliche Denken ist stets ein halbblindes Wähnen und Meinen oder selbstsicheres kühnes Behaupten. Es stammt aus dem Zwiespalt und bleibt zwiespältig. Die Einfalt kann es nicht brauchen; es zerstreut und zerstört nur: sein Name ist »Verwirrung«. Nicht im menschlichen Denken, sondern im Namen Jesus liegt Heil und Erlösung. Darum spricht die reine Einfalt zur menschlichen Denkart: »Fort, hinter mich, Satan! Ein Ärgernis bist du mir; denn du hast nicht das im Sinn, was Gottes ist, sondern das, was des Menschen ist!« Wer diese rücksichtslose Enthaltsamkeitsformel gegenüber der irreführenden menschlichen Gedankenwelt nicht anwenden lernt, wird nie in die heilige Gedankeneinfalt einzugehen vermögen. So ist die notwendigste Enthaltsamkeit der christlichen Einfalt die unausgesetzte Abweisung und Ausscheidung der »argen Gedanken« des Menschenherzens und der törichten Gedanken des Menschenkopfes. Ihr Licht ist nicht die Vernunft, sondern der schriftgeleitete Glaube.

Gepriesen sei Gott, der uns durch die reichliche Gabe des Heiligen Geistes befreit hat vom Wirrwarr des menschlichen Gedankenspiels! Wir müssen nicht mehr alles denken, was uns durch Herz und Kopf will. Wir müssen auch nicht mehr alles wissen, was wir einst zu wissen begehrten und auch wußten. Wir wollen noch immer mehr verleugnen und vergessen von dem, was dahinten ist. Wir entsagen dem heillosen Bildungswahn unserer Zeit und verzichten auf jeden menschlichen Wissensreichtum.

2. Kor. 10, 5

Matth. 15, 19
Matth. 11, 25;
1. Kor. 1, 20

Tit. 3, 6

Phil. 3, 13. 14

Unser Wissen ist Gott in Christus. Unser Ruhm sei der: das Zeugnis unseres Gewissens, daß wir in rechter Einfalt und Lauterkeit Gottes, nicht in fleischlicher Weisheit, sondern in Gottes Gnade gewandelt haben in der Welt. 2. Kor. 1, 12

Die heilige Einfalt besitzt auch nur *einen* Besitz: Christus; demgemäß enthält sie sich auch je länger desto mehr jeder Ansammlung und Aufhäufung irdischen Gutes. Sie würde dadurch nur immer mehr beschwert und gestört. Eine gänzliche Verschiebung ihres Besitzstandes hat sich vollzogen: Früher hatte die Seele nahezu alle ihre Schätze auf Erden, jetzt hat sie all ihre wirkliche Habe im Himmel. Inmitten ihres irdischen Besitzes ist sie verarmt, und inmitten ihrer irdischen Verarmung ist sie reich geworden im Himmel. In dem Maß, als ihr Jesus Christus alles wurde, wurde ihr alles andere nichts. Früher hing sie am irdischen Vielen, jetzt hängt sie am himmlischen Einen. Früher trachtete sie zuerst nach dem, was auf Erden ist, jetzt sucht sie immer entschiedener das, was droben ist, wo der Christus ist. So mißtrauisch sie geworden ist gegen den Wert ihrer eigenen Gedanken, so mißtrauisch ist sie auch geworden gegen den Wert ihrer eigenen Güter. Einst hielt sie Wissen und Besitz für unumgänglich notwendig zur Ausprägung und Bewertung der Persönlichkeit, jetzt weiß sie, daß der Wert des Menschen ganz unabhängig von beiden besteht: Gott will nur Christus darin ausgeprägt sehen, sonst nichts. Früher pflegte der Mensch in erster Linie Häuser, Gärten, Möbel, Kleider, jetzt pflegt die enthaltsame Einfalt zuallermeist ihre Lebensverbindung mit Christus. So wie sie der Vielfältigkeit des Gedankenreichtums, in dem der Ehrgeiz sich blähte, entsagt hat, so hat sie auch der Mannigfaltigkeit der Güter entsagt, in der die Habsucht waltete.

Kol. 3, 1

Diese heilsame Umwertung aller Werte vollzieht sich nur im augenblicklichen Widerspruch gegen unser angeborenes Wesen, und unsere Natur wehrt sich dagegen mit aller Macht. Ehrsucht und Habsucht sind Todfeinde der Einfalt. Voll verschlagener List streben sie auf krummen Wegen immer nach dem Blendwerk der Vielheit. Zwar glauben viele wissen zu können, als wüßten sie nicht, und 1. Kor. 7, 30 besitzen zu können, als besäßen sie nicht; aber das ist meist betrügliche Selbsttäuschung. Wissens- und Besitzesdünkel blähen und brüsten sich weiter, Ehrsucht und Habsucht wühlen weiter. Der Wissende beweise seine Enthaltsamkeit in der Einfalt gegen Gottes Wort, der Besitzende beweise seine Enthaltsamkeit im willigen, einfältigen Geben zunächst an Gottes Volk! Wo der Heilige Geist siegt, werden die Gläubigen gleichen Sinnes und gleichen Apg. 4, 32 – 35 Gutes, und nichts als der Mangel an selbstverneinender Einfalt des Denkens und Gebens ist schuld an der Zerrissenheit und materiellen Ohnmacht des Gottesvolks.

Herr, Du hast nie die Armut Betrug genannt, wohl aber jeden Reichtum, der nicht Reichtum ist in Gott. Darum werde Du der Einfältigen ganzer Reichtum; denn Du bist um unseretwillen arm geworden, damit wir in Dir reich 2. Kor. 8, 9 würden. Laß uns um des großen Gewinnes der Gottseligkeit in Dir willen alles andere für Schaden achten, so daß wir uns genügen lassen an Nahrung und Bedeckung und unser Überfluß dem Mangel der Bedürftigen diene, auf daß unter den Deinen Gleichheit werde in Einfalt des Herzens und der Einfachheit des Besitzes! Mache uns 1. Tim. 6, 6 – 10; trunken durch den Heiligen Geist in himmlischen Gütern, Phil. 3, 8; damit wir nüchtern werden zur Loslösung von jedem ir-2. Kor. 8, 14. 15; dischen Gut! Nichts gehöre uns, alles sei Dein! Psalm 36, 9

Die heilige Einfalt pflegt auch nur *eine* Lust: Christus! Demgemäß enthält sie sich immer endgültiger aller fleisch-1. Petr. 2, 11 lichen Lüste, die gegen die Seele streiten, nämlich die Gedanken und Sinne verderben und von der Einfalt gegen 2. Kor. 11, 3 Christus abbringen wollen. Genußsucht, grob oder fein, ist eine ebenso große Todfeindin der Einfalt wie Ehrsucht und Habsucht. Sie ist eine feile Dirne der Sinne und will nur von der Abwechslung leben. Gerade ihretwegen wird den meisten Seelen die Einfalt unerträglich; denn unsere Natur windet sich in Verzweiflungskrämpfen, wenn ihr die sinnlichen Genüsse entzogen werden sollen und ihr buntes Gelüste nicht mehr gestillt wird. Eher noch läßt sie Ehre und Habe als die Wollust fahren, obwohl durch nichts jede Errungenschaft der Einfalt so schnell aufgezehrt wird wie durch die Begierde. Nächst den törichten Überlegungen der Vernunft in Zweifeln schädigt nichts den Einfaltssinn so tief wie die schändlichen Lüste des Fleisches. Mit aller Lebensmacht der Sünde gelüstet das Fleisch wider den Geist, um den Einfaltssinn der Geisteskinder zu verrücken. Aber – Gott sei Dank! – mit übermächtigerer Macht gelüstet den Geist auch wider das Fleisch, damit der Wille des Fleisches und seiner Gedanken vernichtet werde, und nur durch den Geist – nicht durch sich selbst! – vermögen die Söhne des Geistes das Treiben des Leibes sogar zu töten, nicht nur zu beherrschen. Die gekreuzigten Lüste und Begierden müssen endlich am Kreuz sterben; wie könnte die Einfalt sonst im Geiste leben! Wie könnte es sonst ein Überwinderleben, das heißt ein übernatürliches Leben, ein Leben über den Sinnen, ein Einfaltsleben in Christus geben!

Gott sei gepriesen: Die Lust des Geistes ist der Tod der Lust des Fleisches; denn eine Lust muß und soll der Mensch haben! Gott selbst will ja seine Lust an den Menschenkindern sehen. Also Lust um Lust! Entweder die Lust des Fleisches – und das ist im weitesten Sinne die Lust an den Geschöpfen und an uns selbst – oder die Lust des Geistes, nämlich die alleinige Lust am Herrn, die gottselige Genüge in Christus, die Wonne der heiligen Einfalt!

Jak. 4, 3

Gal. 5, 17
Eph. 2, 3

Röm. 8, 13
Gal. 5, 24;
Kol. 3, 5

Spr. 8, 31

59

O Herr, wie unermeßlich mächtig und unbeschreiblich schön
bist Du mir, daß ich um Deinetwillen alle Weisheit und
Güter der Welt verachten und alle Lust der Welt, sei es
die Lust des Fleisches oder der Augen und jedes prahlen-
den Lebens, hassen und lassen kann! In der Einfalt Deiner Nachfolge begehre ich nichts als Dich selbst: Deine
törichte Weisheit, Deine reiche Armut und die Gemeinschaft Deiner Leiden, um auf ewig entronnen zu sein
2. Petr. 1, 4 dem Verderben, das in der Welt herrscht durch die Lust.

19.

DIE GEDULD DER EINFALT

Zur rechten Nachfolge bedarf es der *Geduld* der heiligen
Einfalt. Nur die wahre Einfalt vermag standhaft zu ertragen und duldend auszuharren. Ihr Sinn bleibt unbeweglich auf den Einen gerichtet, um deswillen sie alles
lassen kann. So kann sie beharrlich wandern und warten;
denn Weg und Ziel sind ihr gewiß. Ihr Glaube verleiht
ihr den ruhigen Herzschlag, ihr Vertrauen den gemesse-
nen Odem. Sie läßt sich nicht aufregen und noch weniger
aus dem Geleise werfen. Sie hat still lächelnd immer
Zeit und Kraft. Ihr Meister, durch den sie alles vermag,
ist bei ihr und wird alles recht machen. Ihr Herz bleibt
2. Thess. 3, 5 gelenkt zur Geduld des Christus, in der sie geduldig geworden ist. Inmitten der wildbewegten Welt kennt sie
immerfort nur das *eine* wichtige Geschäft, getrost und
guten Muts in ihrem Heiland zu ruhen.
Woher kommt denn alle Ungeduld in der Welt? Von der
vielspältigen eigenwilligen Begierde. So viel begehrlicher
Eigenwille, so viel ungeduldiger Unwille. In der Unge-

duld erntet die Selbstsucht ihre erste Qual. Geht es ihr
nicht nach Wunsch, so wird ihr herrischer Eigenwille im
Nu zum geärgerten Unwillen und zum feindseligen Wi-
derwillen. Offenbarer Zorn, tatsächliche Bosheit, Ungerechtigkeit, Gewalttat folgen oder ebenso geheimes Scheel-
sehen, Mißgunst, Neid, Haß, schändliche Rache, nieder-
trächtige Verleumdung. Immer hat die Ungeduld, ob sie
äußerlich wütet oder nur innerlich brütet, ihre Wurzel in
der vielspältigen fleischlichen Begierde des selbstsüchtigen Eigenwillens, im Mangel an geistlicher Einfalt. Auch
alle fromme Ungeduld und jedes gereizte Eifern für
Gottes Sache gehören hierher. Die Seele ruht nicht glaubenstätig in Jesus, sondern ist erregt in eigenmächtig gewordenen Wünschen und Begierden, in denen sie sich
zerarbeitet und verzehrt, ganz gleich, ob es irdische oder
himmlische Begierden sind. Zwischen Hoffen und Fürchten, zwischen Überreizung und Erschöpfung müht sich die
Seele ab, bis ihr trotziges Fiebern und zagendes Beben
sich auch dem Leib mitteilt und ihre Ungeduld zur Krankheit der Nervosität geworden ist. Nur Hinkehr zur reinen
Einfalt kann diesen heute so allgemein gewordenen Schaden heilen.

Die Geduld der Einfalt ist vonnöten, damit wir nicht den
fluchbeladenen Eigenwillen, sondern den heilsamen Willen Gottes tun und das Verheißungsgut davontragen. Hebr. 10, 36
»Fasset eure Seelen mit Geduld!« Wem gelingt das? Das Luk. 21, 19
gelingt nur der törichten, schmachbedeckten, ohnmäch-
tigen, schweigsamen und einsamen, stillen heiligen Einfalt. Solange sich ein Mensch für selbstklug, ruhmeswür-
dig, stark, beredt, herrschberechtigt und tatfähig hält, wird
er in vielfältigster Ungeduld leben. Alles meint er selber
wissen, machen, anordnen, beaufsichtigen und erledigen
zu müssen. Ach, und wie tief reicht diese zähe Ichstärke
hinein in alle Lebenslagen der Seele! Selbst in der Not

der Krankheit und Nacht der Schwermut schlägt noch ihr
böser, ungeduldiger Puls; denn Trübsal allein bringt nie
geistliche Geduld. Sobald aber der Heilige Geist diese
bebende Ader des Ichwillens abschnüren kann, wird die
Seele für die Geduld der Einfalt gewonnen und erwor-
ben. Nun erst kann der Mensch sich selbst mitsamt seinem Wirken, Beginnen und Vollführen Jesus überlassen.
Die Sinne werden der bunten, aufregenden Vielheit entleert und mit dem Anschauen Jesu erfüllt. Die Gedanken
werden ihrer aufreibenden Zwiespältigkeit entnommen
und in dem einen herrschenden Gedanken: Jesus lebt,
sorgt, siegt! geeinigt und gestillt. Nun vermag der Mensch
in Einfalt Geduld zu haben mit Gott, mit den Menschen
und mit sich selbst. *Er* ist's nicht mehr, an dem alles
hängt: Gott in Christus ist der Herr seines Lebens und
alles Geschehens geworden. Diesem Einfaltsgedanken
entsprießt nun jede geistliche Geduld, die Frucht bringt
für Gott. Vermittelst der Einfalt hebt Gottes Gnade den
Menschen über seine unruhvolle Natur hinaus und
schenkt ihm inmitten aller Mühsal und Trübsal die Geduld der Heiligen.

Ach, Herr, vernichte jede Spur von Ungeduld als Rest
meines verkehrten Wesens in mir! Ich möchte meine
Seele in der Geduld der Einfalt ganz für Dich gewinnen
und erwerben, so daß ich sie nur noch besitze in Dir. Ich
weiß, dem Reichtum Deiner Langmut, die ich für mein
Heil achte, wird es mit mir gelingen. Du befähigst mich,
auszuharren in Einfalt bis ans Ende.

Marginal references:
Röm. 5, 3
Luk. 8, 15
Offb. 13, 10; 14, 12
Röm. 2, 4;
2. Petr. 3, 15;
Matth. 24, 13

20.

DIE TAPFERKEIT DER EINFALT

Als die Jungfrau Maria auf die so unerhört merkwürdige
Erscheinung und Rede des Engels nur die eine Antwort
hatte: »Siehe, ich bin des Herrn Magd; mir geschehe, wie
du gesagt hast«, da brachte sie in schönster Weise die
Tapferkeit der heiligen Einfalt zum Ausdruck.
Es gibt keine tapfereren Leute auf Erden als die Einfältigen. Alle anderen Menschen haben zwei Seelen in der
Brust: die Doppelseele des Zweifels und der geheimen
Furcht; allein die Einfaltsseele ist ungeteilt. Sie ist hin-
ausgehoben über die Unbeständigkeit in Zweifeln und
befreit von der Pein der Furcht. Darum dringt sie in Ge- Jak. 1, 6 – 8;
biete der Erkenntnis Gottes und Christi vor, wohin ihr 1. Joh. 4, 18
niemand zu folgen vermag, und erobert Höhen des übernatürlichen Lebens, vor denen andere kraftlos zurückschrecken. Ja, was ein Verständiger noch nicht einmal zu
sehen vermag, das übt und gewinnt sie, und alle ihre
Eigenschaften kommen ihr dabei vorzüglich zustatten.
Ihre Torheit schützt sie vor entkräftender Klügelei; ihr
genügt, daß Christus ihre unerschöpfliche Weisheit ist.
An Schmach gewöhnt, läßt sie sich nicht abhalten durch
Hohn und Schimpf. Ihre Ohnmacht bewahrt sie vor
eigenmächtigem Lauf. Sie kann nur dem Lamme Gottes
nachfolgen, wohin es geht, und streitet nur in der Gottes- Offb. 14, 4
kraft vom Kreuz. Ihre Schweigsamkeit befähigt sie zur
Bewahrung ihrer Perlen und heiligen Geheimnisse. Ihre
Einsamkeit schließt sie ab gegen lästige Weggenossen.
Ihre Stille läßt sie Gottes geheime Befehle und vertrau-
liche Übereinkünfte erlauschen und erlangen. Ihre Be-
währung in der Bewahrung des Glaubens befördert ihren
Mut zu weiterem Vordringen. Ihre Enthaltsamkeit löst sie

63

von jeder beschwerenden Bürde. Ihre Geduld behütet sie vor eigenem Eifer und nachfolgender Entmutigung, und all ihr Können und Tun ist nichts als Glauben und Beten. So wagt und gewinnt sie alles, was ihr geheißen und verheißen ist, und weiß dabei: »Der Herr behütet die Einfältigen.«

Psalm 116, 6

»Fürchte dich nicht!« »Sei getrost!« »Sei guten Muts!« das sind die hellen Lebensrufe ihres Herrn und Hirten, die der Tapferkeit der Einfalt endlos neu den Herzschlag stärken und sie so unvergleichlich hochgemut sein lassen. »Herr, auf Dein Wort hin!« und »Im Namen Jesu!« das sind die markigen Glaubensrufe, mit denen sie ihrem Herzog und sich selbst entschiedene Antwort gibt. Danach ist ihre Kampfes- und Siegesweise so einfach. Sie hat einmal in ihrem Buche gelesen, wer Lust habe, mit Gott zu

Hiob 9, 3

hadern, könne ihm auf tausend nicht eins antworten. Daraus hat sie gelernt, daß, wer mit dem Teufel zu hadern wagt, ihm auf tausend immer nur eins antworten muß, nämlich: »Jesus!« Tausend Trugstimmen fauchen, zischeln, flüstern sie an: Ihre eine Antwort ist »Jesus!« Tausend Schreckrufe umhallen sie: Ihre eine Antwort ist »Jesus!« Tausend Vernunftsgründe beschwören sie: Ihre eine Antwort ist »Jesus!« Tausend Menschenmäuler schwatzen auf sie ein: Ihre einzige Antwort ist »Jesus!« Tausend Schwächen wollen sie befallen: Ihre einzige Antwort ist »Jesus!« Tausend Teufelsfratzen grinsen sie an: Ihre einzige Antwort ist »Jesus!« Tausend Finsternisse wollen sie verschlingen: Ihre einzige Antwort ist »Jesus!« So beweist die Einfalt ihre Einfalt: Sie weiß nichts als Jesus. Tausend mal tausend Grauen wollen ihr den einen Schrei, den einen Siegeslaut ihres Herzens ersticken; aber selbst den lähmendsten Druck durchdringt noch ihr Seufzer »Jesus!« Und wenn sie wie von zehntausend mal zehntausend Teufeln überwältigt und erschlagen am Boden liegt, besinnt sie sich urplötzlich wieder darauf, daß sie ja »Einfalt« heißt und »Jesus!« ihr Glaubensschrei ist, den sie solange wiederholt, lobend, preisend, dankend, jubelnd, jauchzend, bis sie, berührt und durchströmt von der Himmels- und Herrlichkeitsmacht seiner Stärke, als Siegerin aufspringt auf ihre Füße, und siehe da: Alle Teufel sind geflohen!

Wahrlich, nur der Tapferkeit der heiligen Einfalt ist es gegeben, dem Widersacher Gottes und seinen Gesellen selbst am bösesten Tag auf den Rücken zu schauen! Nur sie vermag alles in dem, der sie kräftigt. Nur sie gehört nicht zu denen, die feige weichen zum Verderben. Nur sie ist geschickt zum Reiche Gottes; denn seitdem sie die Hand gelegt hat an den Pflug, hat sie noch nie verlangend zurückgeblickt auf das, was hinter ihr liegt. Nur sie jagt zielwärts los auf den Kampfpreis der himmlischen Berufung Gottes in Christus Jesus, und nur sie wird gekrönt mit dem unvergänglichen Kranz!

Wollen wir nun die tapfere Einfalt eine »Heldin« nennen? – O nein; denn nie nennt die Heilige Schrift die tapfere Glaubenseinfalt so! So tun nur die großredlerischen Menschen. Nicht »Held« will sie genannt sein, sondern: »Kind«. Allein ihre Kindlichkeit und Jungfräulichkeit ist das Geheimnis ihrer männlich-starken Tapferkeit; denn der Herr ist bei seiner Taube wie ein starker Held, und das Panier ihres Sieges über ihr ist seine Liebe!

Eph. 6, 13
Jak. 4, 7
Phil. 4, 13
Hebr. 10, 39

Luk. 9, 62

Phil. 3, 13

2. Tim. 2, 5;
1. Kor. 9, 25

1. Kor. 16, 13

Hohelied 5, 2;
6, 9;
Jer. 20, 11
Hohelied 2, 4

66.

DIE GELASSENHEIT DER EINFALT

Ihrer Tapferkeit entspricht die *Gelassenheit* der heiligen
Einfalt. Sie hat es mit nichts und mit niemandem als mit
Jesus zu tun; darum kann ihr auch nichts den Weg ver-
sperren und nichts die Sonne stehlen. Sie lebt *von* oben
und *nach* oben, nicht von Menschen oder für Menschen,
noch weniger von sich oder für sich; darum erscheinen
ihr die Menschen wie redende Wandelbilder, die sie sieht
und doch übersieht, hört und doch überhört. Ihre fleischliche Anmut bezaubert sie nicht mehr, ihre Widerwärtig-
keit ärgert sie nicht mehr, ihre Bosheit schreckt sie nicht
mehr. Sie weiß, was im Menschen ist. Gottes Wort und
die Salbung mit dem Heiligen Geist haben ihr jeden Auf-
schluß gegeben. So erwartet sie nichts mehr von Menschen
und fürchtet auch nichts mehr von Menschen. Die Wan-
delbarkeit und Unzuverlässigkeit der Menschen, ihre
Dürftigkeit und Schattenhaftigkeit sind ihr zu deutlich
bewußt geworden; darum ist ihr Verkehr mit den Menschen nur noch durch Jesus vermittelt. Nur von ihm aus
gesehen sind ihr die Menschen noch erträglich und er-
sprießlich. Von ihm empfängt sie die Menschen, und ihm
überläßt sie die Menschen, und in ihm liebt sie sie be-
dingungslos leidenschaftslos. Nicht einen einzigen Menschen läßt sie zwischen Jesus und sich selbst treten,
sonst wäre es ja um ihre Einfalt wie um ihre Gelassenheit geschehen. Nie mehr könnte sie tapfer sein; denn
jetzt müßte sie bangen und fürchten und wäre irdisch
gebunden.
Was ihr die Menschen irgend antun, das tut ihr Jesus,
und was sie irgend den Menschen tut, das tut sie Jesus!
Die gelassene Einfalt sieht in allem, was ihr geschieht

und was durch sie geschieht, nur Gott in Christus. Tun
ihr die Menschen wohl, so erblickt sie in ihnen Hand-
langer der unverdienten Güte ihres Herrn, und dankt sie
ihren irdischen Wohltätern, so preist sie damit nur den
einen himmlischen wohlbekannten gnädigen Geber. So ist
sie vollauf dankbar nach der Seite ihrer menschlichen
Helfer, aber doch nur gebunden nach oben. Wie könnte
sie anders ihrem Herrn gelassen bleiben! Ebenso verhält
sie sich auch, wenn ihr die Menschen übel tun; auch dann
sieht sie in ihnen nur irdische Werkzeuge ihres treuen,
weisen himmlischen Meisters. Und so wenig sie sich in
Dankbarkeit an ihre irdischen Wohltäter verlor, so wenig
zieht sie sich in ihrem Herzen von den Übeltätern in
Groll zurück. Damit daß sie die hämmernden und schnei-
denden irdischen Werkzeuge erträgt, erträgt sie ja nur
den himmlischen Meister. Wie könnte die Einfalt sonst
einfältig Jesus gelassen bleiben! Was auch immer auf Erden sich abspielen mag, sie hat es einfältig in alle Ewigkeit nur mit Jesus zu tun. Wehe, wenn sie in die Hand
der Menschen fiele!

Gnädiger Herr, wirke durch den Heiligen Geist in mir
und den Deinen diese erquickende und wahrhaft erbau-
liche Gelassenheit der wahren Einfalt, die keinen Menschen mehr nach dem Fleische, sondern alles Fleisch nur
in Dir kennt!   2. Kor. 5, 16

In derselben Gelassenheit verharrt die heilige Einfalt
auch ihrem inneren Erleben gegenüber. Der Einfaltsmensch
erwartet auch von und für sich selbst nichts mehr. Er
weiß, daß in seinem Fleisch ebensowenig etwas Gutes
wohnt wie im Fleisch anderer Menschen; deshalb weiß
sich die himmlische Einfalt auch immer bewußter geschieden von ihrem fleischlichen Ich. Je zarter ihr geistlicher
Verkehr mit Jesus wird, desto fremder wird sie all dem,
was noch von unten her in ihr stammt. Immer sicherer

vermag sie zwischen den Bewegungen des Geistes durch die Gnade und den Bewegungen des Fleisches durch die alte Natur zu unterscheiden. Dieser Zwiespalt zwischen Natur und Gnade, Fleisch und Geist, Ich und Christus ist ja die Voraussetzung für das Dasein und Gedeihen der himmlischen Einfalt. Sie ist nicht Ausgleich dieses Zwiespaltes, sondern seine äußerste Verschärfung; sie ist rücksichtsloseste Einseitigkeit, nämlich endgültige Absage an die gefallene, fleischlich gesinnte, gottfeindliche Natur und endgültige Zusage an Christus durch den Geist der Gnade! Todfeindschaft herrscht zwischen dem Fleisch der Natur und dem Geist der Gnade, und Christus wird nicht eher ruhen, als bis jeder Rest der gefallenen Natur aus Mensch und Schöpfung verschwunden, das Alte vergangen und alles neu geworden ist. Auf der Gründlichkeit eben dieser Unterscheidung und Trennung beruht die hohe Gelassenheit der Einfalt.

Hebr. 10, 29

2. Kor. 5, 17;
Offb. 21, 5

Die heilige, das heißt die für Gott abgesonderte Einfalt *hat* gewählt. Sie selbst *ist* die erwählte Wahl, die entschiedene Scheidung. Ihr Leben *ist* Christus, ihr Reich sein Reich der Gnade, ihr Bürgertum der Himmel. Von der Höhe und Ruhe dieser Wahl aus erschaut und erlebt sie nun Natur, Mensch und sich selbst. Der gesicherte hohe Abstand zwischen dem Alten und dem Neuen und die beruhigende Glaubensgewißheit, daß Christus Herr über alles werden wird, ist der Grund und Inhalt ihrer Gelassenheit. So ist die Gelassenheit der reinen Einfalt nichts anderes als der zeitliche Ausdruck ihrer ewigen Seligkeit in ihrer unverlierbaren Zusammengehörigkeit mit Christus.

Die himmlische Einfalt wird befähigt, ihr eigenes Erleben in überschauender, zuwartender Ruhe wie ein sich wunderbar und doch ganz einfach begebendes und entfaltendes Geschehnis aufzufassen und hinzunehmen und es beinah wie ein Schauspiel mitanzusehen. Dabei ruht das wachsame Einfaltsauge mit unveränderlichem Mißtrauen auf allem, was von der irdischen Natur aufsteigt, und mit unverändertem Vertrauen auf allem, was die himmlische Gnade darreicht. Die grundverdorbene, abscheulich selbstsüchtige Gottfeindlichkeit der fleischlichen Natur überrascht und erschreckt sie dabei immer weniger, regt sie immer seltener auf, vermag sie weder mehr anhaltend zu erschüttern noch tief zu enttäuschen; denn die Einfalt hat ja längst alle Hoffnungen auf die Ergiebigkeit des Fleisches für Gott aufgegeben. So verhält sie sich dem Willen und den Gedanken der sündigen Natur gegenüber immer gleichmütiger und gelassener und beweist eben damit in aller Einfalt, daß sie sich der Sünde für abgestorben hält. Andererseits wird sie durch die Darreichungen der himmlischen Gnade ebenfalls immer weniger überrascht. Nicht daß sie etwa gleichgültiger gegen Gnadenzuflüsse würde; wie könnte dies die himmlische Einfalt auch über sich bringen! Nein, nur reiner, reicher, fester, ruhiger, reifer atmet, ruht, lebt sie Gott in Christus Jesus. Sie erschrickt nicht mehr, wenn ihr guter Hirte sie aus sonniger Helle in heilige Finsternisse, von grüner Aue hinweg in dürre Wüste, aus reicher Tätigkeit in mattes Stilliegen, von seliger Freude in herbe Verlassenheit führt. Ach, sie hat ja ihren Meister immer besser kennen gelernt! Die Wechselfälle ihrer inneren und äußeren Führung haben seine Treue immer überwältigender geoffenbart. Verlust und Gewinn, Leid und Freude, Kraft und Schwachheit, Erquickung und Entblößung gelten ihr je länger, je mehr gleich. Sie fließen endlich in eins zusammen; denn in allem ist ja *er!* Deshalb kam und kommt es so: je reiner die heilige Einfalt wird, desto gelassener wird sie.

Herr, wirke die gelassene Herzenseinfalt, die in allem wechselnden Erleben nur Dich sieht und erlebt! Hab Dank

Matth. 26, 41; Röm. 8. 7

Röm. 6, 11

für jede Loslösung von der Sinnen-, Menschen- und Ichwelt und sei ewig gepriesen für die unlösbare Zusammengehörigkeit mit Dir!

22.

DIE GERADHEIT DER EINFALT

Keine größere Tat kann auf Erden geschehen, als wenn
ein Mensch, töricht und ohnmächtig in sich selbst, verkannt und verlassen von Menschen, umringt von weglosem
Dunkel, nach oben spricht: »Herr, ich vertraue Dir!« Was
ist jede Vernunfts- und Kulturleistung gegenüber dieser
Einfaltstat! Ringsum haben es die ichsicheren Weltmen-
schen mit sich und der ganzen Welt, aber nur nicht mit
Gott zu tun; hier aber hat eine Seele es nicht mehr mit
Selbstsucht und Weltsucht, sondern ganz nur mit Gott zu
tun. Ein Mensch aus dem verkehrten, verdrehten Adams-
geschlecht ist wider alle Natur und Kultur in die kindlich
lautere, ungeteilt abhängige, unmittelbar gerade Herzens-
stellung seinem Schöpfer gegenüber zurückgebracht worden. Welch ein Wunder! Es ist das Wunder der *Geradheit* der heiligen Einfalt.

»Gott hat den Menschen aufrichtig gemacht, aber sie suchen viele Künste.« Unter der Anleitung des Vaters der
Lüge ist alles in der Menschenwelt verdreht, verkehrt,
gefälscht: falsche Götter, falsche Christusse, falsche Pro-
pheten, falsche Lehrer, falsche Gesichte, falsche Zungen,
falsche Zeugen, falsche Schwüre, falsche Brüder, falsche
Liebe, falsche Wege, falsche Waage, falsches Brot! Wo ist
Echtheit, Wahrhaftigkeit, Lauterkeit, Aufrichtigkeit? Nur
bei der himmlischen Einfalt! Sie allein bietet Gewähr für
unverdorbene Echtheit, gottverbürgte Wahrhaftigkeit, son-

Pred. 7, 29

Joh. 8, 44

nenklare Lauterkeit, unbestechliche Aufrichtigkeit und unbeugsame Geradheit. Ehe ein Mensch nicht zur Einfalt gegen Gott in Christus gebracht ist, ist er ein Lügner; er mag sein, wie und wer er sei! Jedes nicht an Gott in Christus ausgelieferte Eigenleben braucht, fordert und fördert zu seiner Selbsterhaltung irgendwie die Lüge: die Notlüge, die Geschäftslüge, die Gesellschaftslüge, die politische Lüge, die Kulturlüge, die fromme Lüge! Nur die heilige Einfalt braucht nicht zu lügen; denn sie sucht, meint, hat nichts anderes als Christus. Jede irgendwie geartete Selbstsucht hegt und pflegt Vordergedanken, Nebengedanken, Hintergedanken, geht Schleichwege, macht Winkelzüge, übt sich in tausend Schlichen, Kniffen und Listen, ist bewandert in den vielen Künsten des verlogenen und verlotterten natürlichen, gottwidrigen Menschenherzens. Nur die heilige Einfalt vermag ohne diese Teufelskünste zu leben; denn ihre eine, unverborgene, lautere Absicht geht nur auf Jesus. Wozu sollte sie lügen? Und wie könnte sie nur lügen? Die Lüge wäre ihr sofortiger Tod.

Nur die heilige Einfalt ist auf der weiten Welt ohne Falsch wie die Tauben. In ihr allein lebt ja der Geist Gottes, der Heilige Geist der Wahrheit, der gleich einer Taube auf den in unerfindbarer Einfalt gehorsamen Gottessohn herabfuhr. Und nur sie allein ist klug wie Schlangen, das heißt sie allein vermag Schlangenklugheit mit Taubenunschuld zu vereinen; denn sonst schließen List und Geradheit einander unbedingt aus. Die Schlangenklugheit der Einfalt ist die gottgeschenkte Weisheit, sich den teuflischen Anschlägen und Nachstellungen der Menschen ohne Lüge zu entwinden. O, wie erstaunlich taubenunschuldig hat sich der Meister der Einfalt dieser Schlangenklugheit gegenüber der teuflisch schlau ausgeklügelten List der neidischen Pharisäer bedient! Seine Schlangen-

Matth. 10, 16;
4, 16;
Joh. 16, 13

klugheit war nicht die List der »alten Schlange«, durch die Eva verführt und betrogen ward, es war nicht die List der heimtückisch kriechenden und sich hinterlistig emporschlängelnden, giftig züngelnden Schlange, sondern es war die trugfreie, heilsame List der in der Wüste öffentlich erhöhten Schlange, die niemand biß und tötete, sondern sich aufhängen ließ, damit wer sie ansah, vom Tod errettet wurde, so wie Jesus, der Christ, gleich einem allerschlimmsten Übeltäter öffentlich am Kreuz hing und doch der vergifteten Menschheit einziger Wohltäter und Retter ward.

1. Mose 3, 1;
2. Kor. 11, 3;
Offb. 20, 2;
Joh. 3, 14 – 16;
4. Mose 21, 8. 9;
Mark. 15, 28

Gar zu gerne mißbraucht die Tücke des Menschenherzens das Heilandswort von der Schlangenklugheit; da ihr aber die Taubenunschuld der wahren Einfalt fehlt, gelingt ihr stets nur die List der kriechenden, nicht jedoch die Klugheit der erhöhten Schlange. Wohl läßt Gott auch Jakobsnaturen, die mit frommen Listen auf ungeraden Wegen seinen Segen suchen, ein Pniel der Einfalt zur Genesung ihrer Seelen erleben; irgendwelche Aufrichtigkeit muß aber dabei vorhanden sein, weil Gott nur den Aufrichtigen die Erlangung der Einfalt gelingen läßt.

Spr. 2, 7

Die Geradheit der Einfalt trägt ihr Angesicht stets stracks nach Gott in Christus gerichtet; darum kennt sie kein Ansehen der menschlichen Person. Sie allein vermag den Leuten die Wahrheit heilsam ins Gesicht zu sagen; aber eben deswegen kommt sie ans Kreuz. Jedes Kreuz erhöht jedoch nur ihr Leben; Komplimente dagegen brächten ihr den Tod. Ihre Sprache ist immer göttlich-einfach, dem gottfernen Menschen aber meistens unerhört unverständlich und darum auch mißverständlich. Bei ihrer Rede laufen die Gleichgültigen hinweg, die Verständigen fühlen sich enttäuscht, die Unwilligen halten sich schreiend die Ohren zu, und die Böswilligen suchen irgendwie nach Steinen; aber die Gottwilligen haben *den* reden hören,

Apg. 7, 56

dessen Thron immer und ewig bleibt und dessen Reichs-
zepter ein gerades Zepter ist. Psalm 45, 7

Nathanael, der Israelit ohne Falsch, bekam deswegen einen
offenen Himmel zugesagt, weil er für die Geradheit der
Einfalt tauglich befunden worden war. Ihm ging es trotz
seines vernünftigen Zweifels und seines sinnenfälligen
Glaubens doch nur um den Gottessohn. Er blieb nicht bei
der Frage: »Bethlehem oder Nazareth?« stehen, sondern
ließ sich geradeswegs zu Jesus führen, um ihm in er-
staunter Einfalt so geradehin zu huldigen, wie er vorher
geradehin gezweifelt hatte. Das war brauchbare Gott- Joh. 1, 46 – 51
willigkeit.

Herr, Du König der Wahrheit, heile mich immer völliger
von jeder Verdrehtheit und Falschheit! Laß mein Denken,
Reden und Tun unbeugsam gerade wie das Zepter Deines
Reiches werden! Offb. 14, 5

23.

DIE KEUSCHHEIT DER EINFALT

Bei allem tapferen, sieghaft gelassenen, unbeugsam geraden Zeugenmut liegt es doch in der göttlichen Natur der
reinen Einfalt, sich lieber Gott zuzuwenden, in ihren Ursprung zu versinken, sich hinter den Hüllen ihrer Un-
scheinbarkeit zu verbergen, als Menschenblicke auf sich
zu lenken. Das ist die *Keuschheit* der heiligen Einfalt.
Die himmlische Einfalt verbirgt sich lieber, als daß sie
sich zeigt. Sie verschwindet lieber, als daß sie erscheint.
Sie ist gottvertraut und menschenscheu, dem Himmel zu-
und der Erde abgewandt. In tiefster Unbekanntheit auf
Erden leben und sterben zu können, wäre ihr gerade
recht. Nichts macht ihr mehr Mühe als ihr Heraustreten

aus der Verborgenheit und ihr Mitsitzen in der Menschen-
reihe. Sie erschrickt und errötet, wenn ihr Name genannt
wird, und kann kaum begreifen, daß man ihr Dasein er-
wähnenswert findet. Muß sie reden, so würde sie viel
lieber schweigen; denn sie kann nichts aus sich selber sagen. Und hat sie den Mund aufgetan, so ist sie dabei und
danach betrübt über die Fremdheit und Ungeschicklich-
keit ihrer Rede und muß wieder merken, sie passe nicht
zu den klugen, weltgewandten Leuten. Ihr ist nur wohl in
der ungehinderten Anlehnung an Jesus. Zu ihm redet sie
auch in Gesellschaft mehr als zu den Menschen, in deren
Gegenwart sie sich stets beengt und gefährdet fühlt. Der
Verkehr mit den Menschen bedeutet ihr eine Not; denn
er stört, befleckt und beraubt sie nur. Das Kostbare, das
sie ihnen sagen möchte, kann sie nicht sagen: es käme ihr
gezwungen, anmaßend und unwahr vor; das Nichtssagende
aber will sie nicht sagen, und doch scheint ihr stumm zu
sein unhöflich. So ist ihr das Reden und das Schweigen
gleicherweise peinlich. Sie weiß mit den Menschen nichts
mehr anzufangen, und diese wissen mit ihr immer weniger anzufangen. Ihr ist das leere Geschwätz der Leute ein
Greuel, und diese legen ihr die Zurückhaltung als phari-
säisches Besserseinwollen, als steifes, muckerisches Ver-
schrobensein aus.

Selbst den Gläubigen wird sie auffällig und auffälliger,
weil sie das geläufige fromme Rede- und Gebärdenspiel
an ihr vermissen. Ihre keusche Wortkargheit deuten sie
ihr als Mißlaunigkeit, ihr keusches Eingezogensein in Jesus
wohl gar als billiges, träges Selbstleben. Ihr fehle das
Tun, werfen sie ihr vor, sie müsse sich mehr beteiligen,
ihr fehle der rechte Anschluß; als ob sie je einen bes-
seren Anschluß als den an Jesus gewinnen und ein nütz-
licheres Tun ausüben könnte, als glaubenstätig in Jesus zu
ruhen. Sie weiß ja längst, daß den unruhigen anderen

nichts so sehr fehlt als gerade dieser Anschluß an gerade dieses Tun, dieses ununterbrochene Beteiligtsein am Wesen und Leben Jesu, dieses wachsame Bleiben in ihm.

24.

DIE GEMEINSCHAFT DER EINFALT

Ihrer keuschen Zurückhaltung entspricht die *Gemeinschaft* der heiligen Einfalt.

Wahrlich, gerade die aus Gott geborene keusche Einfalt weiß sich unmittelbar echt, lauter und untrennbar eins mit allen Gotteskindern! Ja, sie allein ist die lautere Trägerin und Bewahrerin dieser Einheit; denn sie allein hegt keine auf Unterscheidung und Trennung hinauslaufenden selbstsüchtigen Berechnungen. Nur *ihre* Seele ist keusch gereinigt zu ungeheuchelter Bruderliebe. Nur sie allein trägt die neid- und streitlose, glühende Liebe zu allen Heiligen unveränderlich und unverlierbar im Herzen und begegnet jedem Gotteskind in unmittelbarer, unbedenklicher Verbundenheit. Und nur sie allein hat die echten, kostbaren Tränenperlen reiner geistlicher Freude über jeden erquickenden Segen geschwisterlichen Verkehrs im lichten Auge. 1. Petr. 1, 22

Eben deswegen findet man auch bei ihr allein die rechte geistliche Auffassung von Gemeinschaft. Äußerliches, betriebs- und gewohnheitsmäßiges Zusammenlaufen, Zusammensitzen, -singen, -beten, -hören, -reden, wobei der vielfältigste Zwiespalt die Herzen voneinander trennt, kann der heiligen Einfalt nicht Gemeinschaft bedeuten. Ebensowenig ist ihr das süßlich-rührselige, unkeusche Zusammenfließen überschwenglicher, wort- und tränenreicher Seelen schon Gemeinschaft; denn solche Gefühlsergüsse sind gewöhnlich geschwängert mit hochgespanntester Selbstgefälligkeit, also das Gegenteil von Einfalt. Nie könnte sie auch den sogenannten engeren Zusammenschluß um christliche Parteigrundsätze oder gar die sektenhaften Gruppierungen um Sonderlehren Gemeinschaft nennen; denn der dort herrschenden selbstklugen Engherzigkeit fehlt ja jede Spur von Einfalt. Es ist eine recht selbstbewußte Vereinbarung auf gewisse biblische Wahrheiten, aber keine aus Christi Geisteswesen fließende Gemeinschaft. Ach, der keuschen Einfalt dünkt überhaupt alles nicht Gemeinschaft, was auf Organisation, Statuten, Paragraphen, Kirchenzettel und Versammlungsanzeige beruht! Diese äußeren Anordnungen und Einordnungen sind zum Teil unumgänglich; aber das Wesen der Gemeinschaft bezeichnen, umschließen und ersetzen sie nicht. Gemeinschaft ist der heiligen Einfalt nichts anderes als unmittelbar vom Heiligen Geist gewirkte Gemeinsamkeit in der Gesinnung Christi. Die Seelen, die sich in dieser Gemeinsamkeit kennen und finden lernen, haben allerorts, allezeit und über alles hinaus in aller Einfalt Gemeinschaft mit- und untereinander. Es ist eben die unmittelbare Gemeinschaft der Einfaltsseelen, die mit geistgeleiteter Sicherheit freudig einander erkennen an Blick und Wort. Nichts selig Ungezwungeneres als die Gemeinschaft der Einfältigen! Wahrlich, da waltet der Geist des Herrn und wohnt die Freiheit Christi! Kein Ansehen der Person gilt, kein geheimes Spiel der Selbstsucht hemmt, kein Pochen auf Lehren und Formen trennt, kein Richten über Abwesende schändet. Alles ist fließendes Zutrauen, freudiges Wohlwollen, friedereiche Selbstverständlichkeit, uneingeengtes Lieben. Da ist wahr geworden: »Einer ist euer Meister, ihr aber seid alle Brüder.« Und doch bei aller Offenheit zueinander und Hingabe aneinander, welch strenge Bewahrung in der Keuschheit der Einfalt vorein-

2. Kor. 3, 17;
Gal. 5, 1

Matth. 23, 8

ander! Jedes achtet und ehrt das Seelengeheimnis des anderen, keines vermöchte die Zartheit des Geistes zu verletzen, keines könnte nach Verborgenem tasten, keines ein königliches Siegel erbrechen, keines den Vorhang vor dem Allerheiligsten lüften, keines ins geheime Dunkel einzudringen suchen, wo der köstliche himmlische Schatz ruht und die Herrlichkeit des Herrn im Innersten eines Menschenherzens thront.

Ach, Herr, wie selten vermagst Du durch den Heiligen Geist die Gemeinschaft der Heiligen unter uns zu verwirklichen! Die wahre Einfalt mit ihrer geraden Offenheit und zurückhaltenden Keuschheit fehlt. Anspruchsvoller Ichdünkel vereitelt die wahre Gemeinschaft. Die einzelnen haben keine Einfaltsgemeinschaft mit Dir, o Vater, und mit Deinem Sohne Jesus Christus; sie wandeln nicht im Einfaltslicht und haben deshalb auch keine wirkliche Gemeinschaft untereinander. O mit wieviel Gerichten wirst Du noch das falsche, äußerliche Gemeinschaftstreiben richten müssen! Hilf uns durch den Heiligen Geist zur Gemeinschaft nach oben mit Dir und Deinem lieben Sohn, so werden wir Gemeinschaft untereinander haben hier unten! Behüte mich vor der Heuchelei der Zwiespältigen und schenke mir noch mehr die wahrhaft erhebende Gemeinschaft der Einfältigen, wo man einmütig beieinander, *ein* Herz und *eine* Seele ist, o Herr, in Dir!

1. Joh. 1, 3. 7;
1. Petr. 4, 17

Apg. 1, 14; 2, 1;
4, 32

77

25.

DIE LIEBE DER EINFALT

Durch die Herzkammern der Einfalt flutet unaufhörlich
ihre regste und zugleich ruhigste Kraft: diese Kraft ist
die *Liebe* der heiligen Einfalt.

Sie ist bei weitem nicht zuerst Liebe zu den Menschen.
O nein! Sie ist über alles Denken und Beschreiben hinaus
völlig ungeteilt Gott zugewandt, der sie eifersüchtig be-
wacht durch den Heiligen Geist, durch den er sie der Einfalt gegeben hat.

Jak. 4, 5

Die Liebe der heiligen Einfalt stammt wie diese selber
rein von oben und steigt wieder rein nach oben. Sie ist
die himmlische Liebe von Gott und zu Gott. Vom Herzen
Gottes fließt sie aus, und zum Herzen Gottes kehrt sie
zurück, und nie ist sie in eines Zwiespältigen Herz gekommen. Kein Freund dieser Welt hat sie je erkannt oder
erlebt.

Es ist die unverstandene, unerwünschte Gotteskraft vom
Kreuz, die den Menschen erst in sich selbst richtet, dann
ihn zu Gott rettet. Es ist die unerbittlich mächtige Gottesliebe, die durch den göttlichen Haß gegen alles sündige
Fleisch hindurchleitet und hindurchwirkt. Nur wer sich
durch sie mit sich selbst und jedem Geschöpf entzweien
läßt, wird durch sie mit Gott vereint. Wer nie durch sie
sein eigenes Leben und das Leben aller Menschen hassen
und lassen lernt, wird nie durch sie Gott und die Menschen göttlich lieben lernen.

Ihr heiliger Mund spricht: »Meinet ihr, daß ich herge-
kommen bin, Frieden zu bringen auf Erden? Ich sage:
Nein, sondern Zwietracht. Denn von nun an werden fünf
in *einem* Hause uneins sein, drei wider zwei und zwei
wider drei. Es wird sein der Vater wider den Sohn und

der Sohn wider den Vater, die Mutter wider die Tochter
und die Tochter wider die Mutter, die Schwiegermutter
wider die Schwiegertochter und die Schwiegertochter wider die Schwiegermutter.« Luk. 12, 51 – 53
Ja, so gebieterisch fordernd, scheidend wirkt und wirbt
die Liebe Gottes vom Himmel! Unnachsichtlich reißt sie
Menschenherz von Menschenherz, um an ihr Herz zu
bringen. Um zur geistlichen Einfalt gegen Gott zu führen,
erregt sie gärenden Zwiespalt, der von jedem Fleisch
scheidet. Um ein Herz mit der Gottesliebe der Einfalt zu
erfüllen, entleert sie das Herz selbst der allernatürlich-
sten Menschenliebe.
»So jemand zu mir kommt und hasset nicht seinen Vater,
Mutter, Weib, Kinder, Brüder, Schwestern, auch dazu sein
eigen Leben, der kann nicht mein Jünger sein.« Luk. 14, 26
O, wie ist das spottbillige, von geläufigen Liebesphrasen
triefende »Christentum« ringsum dieser Herrschersprache
des Herrn entwöhnt! Wie frech und dreist sucht man das
unerbittliche »Kann nicht« des Meisters ins behagliche
»Kann doch« umzuwandeln! Wie möchte man der Welt
und des familiären und eigenen Fleisches Freund bleiben
und sich zugleich als Gott liebender Jesusnachfolger gebärden! Welche heillose Verkennung der Liebe Gottes
und des eigenen Herzens!
Es ist die Verkennung des Kreuzes Christi. Dort allein ist
der Haß Gottes und die Liebe Gottes zu begreifen. Die
Herrschersprache Jesu wird nur verstanden durch die
deutliche Rede des Blutes Christi. Daß der Eingeborene
Gottes vom Himmel kommen und als der einzig Zah-
lungsfähige sein schuldloses Leben als Lösegeld anstelle Mark. 10, 45
vieler für eine überschuldete, zahlungsunfähige, banke-
rotte Menschheit hingeben mußte, das ist die Offenbarung
des Hasses und Zornes Gottes wider alles verderbte
Fleisch, das sich vor dem Kreuz als *gerichtet* erkennen

79

soll. Dort am Kreuz hat Gott alles in den Ungehorsam eingeschlossen. Dort hat er aller Mund verstopft, die ganze Welt schuldig gesprochen und jedes Rühmen der Menschen ausgeschlossen. Nur der Kreuzestod des unschuldigen Gotteslammes konnte das Gesetz Gottes erfüllen.

Wessen Herz in erschütternder, grundstürzender Buße dies heilige Kreuzgericht nacherlebt hat, der begreift den Zwiespalt, den Christi Kommen anrichten mußte und immer neu anrichten muß, und versteht Jesu Wort vom Haß. Es ist der göttliche Haß gegen alles in der Sünde verderbte Fleisch. Es ist heiliger Haß, frei von aller menschlichen Bosheit. Er bezeichnet den Abstand der Majestät Gottes von der Sünde, die durch alle Menschen hindurchgedrungen ist. Er ist die Aufrechterhaltung der vollkommenen Heiligkeit, Gerechtigkeit und Herrlichkeit des Wesens Gottes gegenüber dem gefallenen sündigen Menschenwesen. Das Wesen Gottes war in Christus Jesus leibhaftig erschienen, und sein Erscheinen zwang so die Menschen zur Wahl: Wen wollt ihr: mich, den von oben Gekommenen und damit Gott oder die fleischlichen Geschöpfe von unten und damit meine und Gottes Verwerfung? Mich kann nur lieben und mir nachfolgen, wer jene haßt und verläßt. Wählet! Beweiset durch eure Wahl, daß ihr erkannt habt, wer ihr samt allem Fleisch seid und wer ich bin!

So zwang und zwingt Gottes Liebe unerbittlich zu göttlichem Haß. Unablässig nötigt sie den Menschen, gegen sich selbst, gegen die Seinen, gegen den Menschen, gegen die gesamte Menschheit protestierende Stellung einzunehmen, auf Christi und Gottes Seite zu treten und alles Fleisch vom Standpunkt des Kreuzes aus zu beurteilen.

Glückselig, wer sich hierzu vom Geiste Gottes überwinden läßt! Ja, glückselig, wer vor Christi Art und Kreuz den

Röm. 11, 32

Röm. 3, 19. 20. 27

Röm. 5, 12

Joh. 3, 6

Zwiespalt mit der eigenen und aller Menschen Art erlebt und damit zur Einfalt gegen Gott und zu ihrer Kraft, der Liebe Gottes, gelangt!

Ein solcher sieht ein, daß weder er selber noch sonst ein vom Fleische geborener Mensch in sich selbst liebesfähig und liebenswürdig ist. Wer durch die Gnade Gottes auf Grund seines Wortes sich dem Urteil Gottes über uns zu beugen vermochte, der weiß in heilsamer Selbsterkenntnis, daß unsere vermeintliche natürliche Liebesfähigkeit nichts als eigensüchtige Selbstliebe ist. Unsere verderbte Art ist weder Gott noch die Menschen wahrhaft zu lieben fähig. Wir mögen es anstellen, wie wir wollen, wir lieben immer nur uns selbst und unser erweitertes, vielfältig interessiertes Ich. Wir lieben, die uns lieben; weiter bringt es unsere alte Natur nicht. Mangel an Liebesfähigkeit Gott und den Menschen gegenüber ist der entsetzlichste Fluch, den uns die Stunde der Ursünde gebracht hat, da der Mensch seine eigene Größe wider die Größe Gottes aufrichtete und die Selbstliebe die Gottesliebe verdrängte. Alles Unheil auf Erden entstammt der eigenliebigen Selbstsucht, die sich Gott gegenüber selbständig gemacht hat. Wie könnten wir nun angesichts unserer schandbaren Lieblosigkeit noch an unsere und der Menschen Liebenswürdigkeit glauben! Nein, seitdem wir unser Ich im Gericht des Kreuzes gesehen haben, haben wir jedem Anspruch auf Liebenswürdigkeit entsagen müssen! Wir haben das selbstsüchtig durchtriebene Scheusal in uns und aller Menschennatur zu deutlich wahrgenommen. Aufs endgültigste weiß ich mich in mir selbst gerichtet, entwertet, durch Christi Kreuz mit mir selbst entzweit und von mir selbst geschieden. Ebenso sehe ich jeden Menschen durch Christi Kreuz gerichtet und entwertet in sich selbst; wie könnte ich mich noch an *eine* Menschenseele hängen und verlieren!

Also ist jeder Eigen- und Menschenruhm ausgeschlossen und bleibt nur der Gottesruhm des Kreuzes Christi übrig, durch das ich mir gekreuzigt bin, mir die Welt gekreu- *Gal. 6, 14* zigt ist und ich der Welt gekreuzigt bin.

Nur diesem endgültigen Zwiespalt entsprießt die endgültige Einfalt als endgültige Abkehr von mir und den Geschöpfen und endgültige Hinkehr zu Gott in Christus, und nur so gedeiht die wunderstarke Kraft der Einfalt: die Liebe Gottes in ihr!

Durch Christi Kreuz sind wir nämlich nicht nur gerichtet, sondern auch *gerettet*. Gott hat nur deshalb alles in den Ungehorsam eingeschlossen, damit er sich aller erbarme. Er hat nur deswegen aller Mund verstopft, damit Christi *Hebr. 12, 24* Blut um so deutlicher von seiner Barmherzigkeit reden sollte. Im Gericht des Kreuzes sollten wir uns nur von unserer Selbst- und Weltliebe entleeren lassen, damit uns seine große Gnade und Barmherzigkeit nachher mit Gottesliebe erfüllen könnte.

Nur um deswillen kam die Ausgießung des Heiligen Geistes. Was geschah denn da? – Da goß Gott um des vollbrachten Sühnopfers Christi willen in die von der Selbstliebe entleerten Einfaltsherzen sein eigenes Wesen durch den Heiligen Geist aus. Gottes Wesen aber ist Liebe. Wer Gottes Geist empfängt, empfängt Gottes Liebe. Voll Geistes werden heißt, voll der Liebe Gottes werden; »denn die Liebe Gottes ist ausgegossen in unser Herz durch den *Röm. 5, 5* Heiligen Geist, welcher uns gegeben ist«. Wer mit Geist getauft ist, der ist in den Feuerstrom der Liebe Gottes eingetaucht worden. Wer aus Gott, wer aus dem Geist geboren und damit wiedergeboren ist, der ist durch die Liebe Gottes eines ganz neuen Lebens teilhaftig geworden. Wiedergeburt ist Wiedererlangung des Lebens in der Liebe Gottes als Wiederempfang unserer verloren gegangenen Liebesfähigkeit und Liebenswürdigkeit.

Durch die Buße der abgöttischen Ich- und Kreaturenliebe entleert, durch den Glauben von der Sünde gereinigt, durch den Empfang des Heiligen Geistes mit der Liebe Gottes erfüllt und zur Wiedergeburt erneuert, ist ein Herz nun wieder befähigt worden, Gott zu lieben. Ja, Wiedergeburt ist Wiederbefähigung, Gott mit seiner eigenen Liebe wahrhaft wiederlieben zu können. Von der Liebe Christi am Kreuz gedrungen, ist ein Herz todeswillig gegen sich selbst geworden, und nun sind der Vater und der Sohn gekommen und haben in diesem einfältig gewordenen Herzen Wohnung gemacht. Fortan kreist die Gottesliebe Christi im Einfaltsherzen, und das Einfaltsherz pulst in ihr; denn dies Herz wurde Gott wieder liebenswürdig, angenehm und annehmbar gemacht durch die bis in den Tod am Kreuz gehorsame Liebe des Geliebten. *(Apg. 15, 9)* *(2. Kor. 5, 14)* *(Joh. 14, 23)* *(Joh. 14, 20)* *(Eph. 1, 6; 2, 4 – 6; Phil. 2, 8)*

Lebend und webend in der Gottes- und Christus-Liebe, ist das Einfaltsherz nun auch befähigt, alle Menschen zu lieben. Das ist aber eine ganz neue Liebe. Es ist die Liebe vom Kreuz aus, wo sich Gott dadurch jeder Menschenseele erbarmte, daß er Christus für alle dahingab. Es ist die Liebe zu den Menschen um Gottes und um Christi willen, nie mehr um ihrer selbst oder um meinetwillen; denn nur die Würde des Liebes- und Todesopfers Christi im für alle Menschen vergossenen kostbaren Blute des Gotteslammes läßt den verderbten Menschen wieder liebenswürdig, liebenswert erscheinen.

Allein diese Liebe um Gottes und Christi willen vermag bedingungslose Liebe zu sein. Es ist die Liebe des Geistes. Sie allein steht über dem fleischlichen Gegensatz von Zuneigung und Abneigung. Sie sieht nicht mehr das anmutige oder abstoßende Geschöpf an; sie sieht nur Gott, den Schöpfer, und Christus, den Erretter, an. Darum vermag auch nur sie allein wahrhaftige Feindesliebe zu sein; denn Gottes Liebe zu uns war ja stets Feindesliebe. Er hat uns *(Röm. 15, 30)*

Röm. 5, 10 geliebt, als wir noch seine Feinde waren. Er selbst war nie unser Feind. Mit dem Herzschlag dieser Gottesliebe in der Brust hat die heilige Einfalt Kraft aus der Höhe empfangen zu jeder weltüberwindenden, welterrettenden Feindesliebe.

O Du ewigstarke Gottesliebe, hab Dank, daß Du die alles überwindende Kraft der schwachen Einfalt bist und daß mich nichts von Deinem himmlischen Lebensodem zu scheiden vermag! Deiner Unermeßlichkeit halte mich geöffnet, damit ich mich Dir unermeßlich geben kann; denn all meine Fülle und all mein Mangel bist ja Du!

26.

DIE WACHSAMKEIT DER EINFALT

In der Liebe Gottes und Christi bleiben zu lernen, ist die einzige Lebensaufgabe der Einfalt. Diese Aufgabe wird nur erfüllt durch die *Wachsamkeit* der heiligen Einfalt. Sie beruht ganz auf dem beständigen Mißtrauen gegen alles Eigene und Menschliche. Die List Satans besteht stets darin, das Einfaltskind wieder zur Ichliebe zu verführen. Er weiß am besten, daß niemand in der Ichliebe und zugleich in der Gottesliebe zu leben vermag. Die wahre Einfalt darf ihr persönliches Ich immer nur innerhalb der Liebe Gottes und Christi kennen, bewerten und bewahren wollen. Der Einfaltsmensch darf auch sich selbst nur noch in Christus lieben. Er bleibt nur so lange in der Einfalt, als er die Glaubensgewißheit betätigt: Ich lebe, Gal. 2, 20 jawohl; aber ich lebe nicht mehr als Ich, sondern es lebt Phil. 3, 20 in mir Christus. *Er* ist mein Leben. Er ist *mir* gegeben, Joh. 6, 52 und ich bin *ihm* gegeben. Ich gehöre nicht mehr mir Joh. 10, 29 selbst, sondern bin Gott in Christus erkauft und kann nur noch leben als *ein* Geist mit ihm; darum ist jede Rückkehr zur eigenmächtigen Selbstliebe gleichbedeutend mit dem Verlassen der Gottes- und Christusliebe. Sie ist Verletzung der Einfalt und Rückfall in fluchvollen Zwiespalt. Wo ich irgendwie mein Leben wieder in die eigene Hand nehme, mich in mir selbst wieder liebe, für mich selbst wieder Liebe suche oder Haß fürchte, in mir selbst wieder sicher und selbständig werde, da bin ich aus der heiligen Einfalt gewichen oder gar gefallen und nicht bestanden und geblieben in der Liebe Gottes und Christi. *1. Kor. 6, 19. 17*

Unwissende, die sich für klug halten, meinen immer, die fromme Einfalt sei billige Gedankenlosigkeit, während doch zu nichts auf Erden mehr Achtsamkeit gehört als zu einem Leben in der reinen Einfalt. Wohl hat es die Einfalt leicht, ja selig leicht, weil sie unverrückt nur auf das Eine sinnt, nur in dem Einen ruht und nur von dem Einen sich behütet weiß; eben dazu gehört aber ein sicherer Prüfgeist und die wachsamste Unterscheidungstätigkeit zur bewußten Abweisung alles anderen. O wie viele sind mit scheinbar einfältigem Herzen in die gröbsten Verirrungen hineingeraten! Sie wurden betrogen durch eine zu billige Auffassung von der Einfalt. *Röm. 12, 2; Phil. 1, 10; 1. Joh. 4, 1*

Die Wachsamkeit der heiligen Einfalt ist etwas unbeschreiblich Zartes. Ich kann sie nur vergleichen dem Lauschen der Braut auf die Stimme des Bräutigams. Im Lauschen scheint sie zu schlafen, ist sie taub gegen alle fremden Stimmen; aber ihr Herz wacht. Untrügbar erlauscht es die Stimme des Bräutigams. So ist das Wachen der Einfalt vor allem ein stets der Stimme ihres Herrn gewärtiges, ganz von ihm abhängiges, ganz auf ihn wartendes, einsames, leitsames geistliches Hören. Will die Einfaltsseele dabei vor Trugstimmen des eigenen Herzens oder gar Satans bewahrt bleiben, so muß ihr Ohr sich un- *Hohelied 5, 2* ablässig üben im Hinhören auf die Rede der Heiligen Schrift. Für den Empfang echter, unmittelbarer Geistesmitteilungen wird nur reif, wer sich unter die mittelbare Offenbarung Gottes durch sein Wort beugt. Diese Beugung entspricht durchaus dem Mißtrauen gegen uns selbst im Zeichen des Kreuzes und der Selbstverneinung. Wer sie nicht beachtet, ist schon außerhalb der Einfalt und in der Irre; er ist bereits sicher geworden in sich selbst.

Die Wachsamkeit der wahren Einfalt besteht außerdem in einer einzigartigen Scharfsichtigkeit. Das macht die »Augensalbe«, die sie rechtzeitig bei ihrem Herrn gekauft hat. Ihr lichtes Einfalts-Taubenauge schaut überall und immer glückselig nur den Bräutigam. Sie mag irdisch-sinnlich vor Augen haben, was immer die Welt zeigt: sie sieht durch alles hindurch und über alles hinaus doch nur ihn. So sind ihr die Züge seines Wesens wundersam vertraut geworden, und sie kann nichts anderes: sie muß alles, was sie an sich und den Staubgeborenen sieht, messen an seinem Bilde. O, wie scharf ermißt da ihr geisterleuchtetes Herzensauge alles, was nicht mit ihm übereinstimmt bis zum feinsten Unterschied. Der grelle Unterschied zwischen der reinen Lichtfülle seiner Herrlichkeit und der gefährlich wuchernden eigenen Unzulänglichkeit und Ungenüge an allen Geschöpfen hält sie wach, reißt sie aus Ermattung und Rausch, gibt ihr nüchterne Haltung nach innen und außen, verleiht ihr göttlichen Takt und geistliche Zucht.

Auch durch die Rede ihres Mundes verharrt die heilige Einfalt in fruchtbarer Wachsamkeit. Es ist ja der Mund, den sein Mund geküßt und der berührt worden ist mit der glühenden Kohle vom Altar. Ehrerbietig gibt er Antwort der vernommenen Rede des Herrn und den geheimen Unterweisungen des Geistes. Beständig gedeiht das Lobopfer als Frucht seiner Lippen, ja, er wacht in Dank-

Offb. 3, 18
Hohelied 1, 15;
Matth. 6, 22

Hohelied 1, 2
Jes. 6, 6

Hebr. 13, 15

barkeit bei Tag und Nacht. Fragend erkundet er den Wil- Kol. 4, 2
len des Herrn, kindlich sagt er, was quält, freudig erbittet er, was fehlt.

Doch wozu dies wachsame und achtsame geistliche Hören,
Schauen und Reden der echten Einfalt? Nur zu dem
einen Zweck, um ungeschmälert und ungeschwächt in der
Liebe Gottes und Christi bleiben zu lernen. Aufs zarteste
und besonnenste achthaben, daß jegliches Geschehen innerhalb der Liebe Gottes und Christi verlaufe, das ist der
höchste Sinn und Ertrag der geistlichen Wachsamkeit.

Über alles kann sich ein Menschenherz täuschen, nur über
sein Lieben nicht. Man weiß immer, wieviel man liebt,
und die heilige Einfalt muß dies besonders wissen. Sie,
die durch den göttlichen Haß hindurch in die Liebe Gottes
und Christi eingegangen ist und in dieser Liebe ihre einzige Kraft und ihr Leben hat, sie allein weiß ja, was es
heißt: »Gott ist Liebe; und wer in der Liebe bleibt, der
bleibt in Gott und Gott in ihm.« Und sie allein, sie, die 1. Joh. 4, 16
jeder Selbsttäuschung über eigene Liebesfähigkeit und
eigene Liebenswürdigkeit entronnen ist, sie allein versteht die Tragweite des Wortes Jesu: »Bleibet in meiner
Liebe!« Joh. 15, 9

Ach ja, Herr, in *Deiner* Liebe; ich selber habe ja keine
Liebe, die ich Dir bringen und in der ich bleiben könnte.
Ich kann ja nur *Deiner* Liebe vertrauen und in Einfalt in
ihr bleiben lernen. O hab Dank, daß ich in ihr bleiben
darf und daß sie in mir bleiben will! Wo sollte ich bleiben, wenn ich nicht mehr in Deiner Liebe bleiben dürfte?
Sie ist ja meine einzige Heimat und einzige Kraft. Welch
ein elendes Nichts wäre ich ohne sie! O, darum bewahre
mich durch Deine Liebe vor jeder Ich- und Kreaturenliebe! Laß mich nichts lieben als Dich allein und in Deiner Liebe nichts tun können als lieben!

27.

DIE SANFTMUT DER EINFALT

In dem Maße, wie die Einfaltsseele wachsam in der Liebe Jesu bleiben lernt, erlernt sie die *Sanftmut* der heiligen Einfalt.

Ach, nur der stille Geist der Einfalt, der unbeweglich dem Herrn anhängt und in seiner Liebe ruht, kann Jesu Sanftmut ausüben! Er bleibt von der selbstherrlichen menschlichen Natur geschieden, die ja immer voll Ausbrüche ihrer Unruhe ist. Stets ist diese fleischliche, gottwidrige Natur bewegt vom Umtrieb des Ichgeistes, gereizt und gelockt von ihren Lüsten und Begierden, die zu lauter Krieg und Streit drängen, gejagt und geplagt vom selbstsüchtigen Suchen und Fürchten, Eifern und Neiden, das mit niemandem in wirklichem Frieden leben kann, betrogen und gequält vom Fluch des eigenen Wesens. Da ist der gehetzte Eigenwille erregt und erbost über jedes Hindernis, braust auf, wird grob, ungerecht, jähzornig, ja gewalttätig und schäumt wüst seine stolze Selbstherrlichkeit aus oder knurrt, kocht, schimpft inwendig, ballt die Fäuste in der Tasche und schluckt die Flüche wie Gift. Wie könnte auf dem Boden unserer gefallenen Natur Christi Sanftmut gedeihen? Da geraten höchstens die glatten Künste der Höflichkeit, der vornehm-selbstgefälligen Selbstbeherrschung, der selbstisch klug berechnenden Zurückhaltung und durchtriebenen, geläufigen gesellschaftlichen oder gar frommen Lüge.

Nur der Gott überlassenen Einfalt wird der stille Geist der Sanftmut zugeeignet. Dem Jesusgeist der Gnade muß der Ichgeist der Natur weichen. Die eigenwillige Stoßkraft des natürlichen Temperaments ist gebrochen. Der Einfaltsmensch vermag nicht mehr selbstsicher und selbst-

Jak. 1, 14. 15; 4, 1

herrlich hervorzubrechen, herauszufahren, um befehlend, lärmend, hadernd das Seine zu erzwingen. Er bleibt geistgefangen, geistgebunden, geistbeherrscht. Er erstrebt überhaupt nichts Eigenes mehr; er sucht nur das, was Christi ist. Deshalb braucht er sich auch nicht mehr vorzudrängen, polternd bemerkbar zu machen, sich auffällig zur Geltung zu bringen, wie es die grobmutige Selbstsucht allezeit tun muß. O nein, die Einfaltsseele bleibt hinter Jesus verborgen. Nur in Christus erfunden zu werden, ist ihr höchstes Ziel. Sie ist ja die einzig wahre Nachfolgerin Jesu, und ein rechter Nachfolger verschwindet immer hinter seinem Vorgänger. So läßt sie Jesus in allen Dingen und auf allen Wegen den Vorrang, läßt ihn stets zwischen sich und das eigene Ich und ebenso zwischen sich und die Menschen treten. Nie wagt sie sich vorne hin, nein: Er soll Bahn brechen, er soll erscheinen, gesehen, gehört, beachtet, geehrt werden. Er soll alles ordnen, einleiten, fortführen und ausführen. »Ordne Du es! Wirke Du es! Vollführe Du es!« bittet sie unablässig. »Sei Du meine Kraft! Sei Du meine Weisheit! Rede Du aus mir! Siege Du durch mich!« Das sind die Stoßgebete, die ihre einzige Stoßkraft geblieben sind. Wachsam in unbeschreiblicher Stille, ganz ihm hingegeben, ganz von ihm abhängig, ganz ihm vertrauend wartet sie auf jeden Gedanken, den er schenkt, auf jedes Wort, das er gibt, auf jeden Wink, den er erteilt, auf jeden Weg, den er zeigt, auf jede Erlaubnis, die er gewährt, oder auf jede Verweigerung, die er kundtut, oder auf jedes Hindernis, das er erscheinen läßt. Dies allein und nichts anderes heißt in Christus bleiben und allezeit in ihm erfunden werden. Allein dieses ganz einfältige Bleiben in ihm verleiht den Geist der Sanftmut Christi; denn es ist das Bleiben in Jesu Liebe.

Einfalt verlassen, Jesus verlassen, Sanftmut verlassen, ist ein und dasselbe!

Randnotizen:

1. Kor. 13, 5;
Phil. 2, 21

Kol. 1, 18

Phil. 3, 9;
Kol. 1, 28;
Apg. 16, 6. 7

89

Wir wissen es leider durch so viele bittere Erfahrungen, wie alles darauf aus ist, uns aus der sicheren Festung der Einfalt zu vertreiben, um uns aus Christi Sanftmut zu reißen! Der vielfältigste Feind ist die bunte Sinnenwelt ringsumher; stets will sie ihre Bilder zwischen uns und Christi Bild schieben. Immerzu sind wir in Gefahr, durch sie gelockt, gereizt, abgelenkt, hingenommen und betrogen zu werden. Denn was gewinnen wir, wenn wir das Bleibende gegen das Vergängliche, das Himmlische gegen das Irdische, das Unsichtbare gegen das Sichtbare vertauschen? Jeder Augenblick, an die Erregung der Sinne verloren, ist Verlust an Leben mit Christus. O, lieber blind und taub sein und doch Dich sehen und hören, als durch das äußere Gesicht und Gehör sich um das innere Sehen und Hören bringen lassen!

Die gefährlichsten Bilder der Sinnenwelt liefert freilich zu aller Zeit die unruhige Menschenwelt. Die ablenkenden Bilder, Geräusche und Unbequemlichkeiten der sinnlichen Umwelt stören meist nur die Schwachen in der Einfalt und am Leibe ernstlich. Ebenso bildet die äußerlich veranlaßte Reizung der Augenlust, Ohrenlust, Gaumenlust nicht die größte Gefahr. Die größte Gefahr ist der Verkehr des Menschen mit dem Menschen selbst. Sind nicht beinahe alle Menschen geborene Unruherreger? Wie lodernd und prasselnd kreist das entzündete Rad ihrer Natur, und wie springen die Funken der Lüste und greifen die Flammen der Leidenschaft über von Herz zu Herz und mit diesen das Prasselfeuer des Zorns, das Glutfeuer des Neides, der fressende Brand der Verleumdung! Wahrlich, keine größere Gefahr gibt's auf Erden als den Menschen! Wehe dem Einfaltskinde, das sich vom Höllenbrand der Geschöpfe anstecken und zum Grobmut irgendwelcher Art erregen und entzünden läßt!

Hiob 14, 1

Jak. 3, 6

Mit Furcht und Zittern wollen wir uns hüten vor jedem Menschen, daß er nicht die Riegel unserer Einfalt zerbrechen, Feuer an unser böses Selbst legen, uns zu innerem oder gar äußerem Aufruhr entflammen, die Zinnen unseres Friedens niederbrennen und das Glück unserer Gemeinschaft mit dem Sohn Gottes in Asche legen könne.

Herr, bewahre uns, daß unser Fleisch sich niemals am Fleisch der Menschen ärgert und unsere Seele aus Deiner Sanftmut hinauszuhetzen vermag! Bewahre aber auch vor der Erregung unserer Sinne und Seele durch die eitlen, nichtigen Dinge dieser Welt, deren Besitz oder Verlust uns leider schon so oft um den Schatz Deiner Sanftmut zu betrügen vermochte! Und wo wir je einmal zwei Stricke zusammenflechten müssen, um heilige Zucht zu üben, da gib, daß auch dies geschehe nicht im Brand der Natur, sondern als hehrer Gottesdienst im Feuer des Geistes dennoch in sanftmütiger Einfalt!

28.

DIE DEMUT DER EINFALT

Jesus Christus mußte es vor Menschen ausdrücklich bekennen und laut ausrufen, daß er sanftmütig und von Herzen demütig sei; denn sie hätten es ihm sonst nicht geglaubt.

Nichts liegt verborgener als die *Demut* der heiligen Einfalt. Es bleibt den Weisen und Klugen ganz unfaßlich, wie einer sagen kann: »Alle Dinge sind mir übergeben von meinem Vater; und niemand kennt den Sohn denn nur der Vater; und niemand kennt den Vater denn nur der Sohn und wem es der Sohn will offenbaren«, und im nächsten Atemzug ausrufen kann: »Ich bin sanftmütig und von Herzen demütig!« Wie stimmt diese unerhörte Größe des Selbstbewußtseins Jesu zu der angeblichen Demut seines Herzens? »Was machst du aus dir selbst?« entrüsten sie sich und suchen ihn zu steinigen, als er bezeugt: »Ich und der Vater sind eins!« Aber auch den unter Mühsal und Beladensein unmündig und hilflos Gewordenen, die er zu sich ruft, muß er mit dem Bekenntnis seiner Sanftmut und Demut erst Mut zum Kommen machen.

Ach, die verderbten Menschen sind ja so gewohnt, Macht und Hochmut, Gewalt und Vergewaltigung nebeneinander zu sehen! Weil sie die himmlische Einfalt nicht begreifen können, müssen sie auch die Demut dieser Einfalt für unmöglich halten. Ja, beides scheint ihnen vermessener und verwerflicher Hochmut, und ihr Zurückschrecken vor der unheimlichen Größe der Einfalt nennen sie „Demut". Verkehrtes Geschlecht!

Wo soll denn die Demut auf Erden zu finden sein, wenn nicht bei der heiligen Einfalt? Die himmlische Einfalt *ist die* Demut.

Alle Zwiefalt ist Hochmut als Entzweiung mit Gott – nur die Einfalt ist Demut als Vereinigung mit Gott.

Alle Zwiefalt ist Weggang von Gott – nur die Einfalt ist Rückkehr zu Gott.

Alle Zwiefalt ist Selbstsetzung im Widerspruch gegen Gott – nur die Einfalt ist Selbstentleerung in der Hingabe an Gott.

Alle Zwiefalt ist Selbsterhöhung gegen Gott – nur die Einfalt ist Selbsterniedrigung vor Gott.

Alle Zwiefalt ist Selbstbehauptung gegen Gott – aber die Einfalt ist Selbstvernichtung vor Gott.

Christus Jesus allein war von Herzen demütig; denn er kam auf die Erde als die leibhaftig gewordene himmlische Einfalt. Alle Zwiefalt ist geteilten Herzens: *Sein*

Matth. 11, 25 – 30

Joh. 8, 53

Joh. 10, 30

Matth. 11, 28-30;
Joh. 6, 37

Herz war ewig ungeteilt. Schon sein Kommen vom Himmel her war Selbstentleerung, die uns Aufgeblasenen Demut lehren sollte. Seine Einführung in den Erdkreis war Erniedrigung unter die Engel, seine Menschwerdung Selbsterniedrigung sondergleichen. Sein Wohnen unter den Menschen war Dienen in Knechtsgestalt zur Beschämung der Herrschlüsternen. Sein Begehren war Leidensgehorsam, Armut, Schmach, Entblößung, Kreuz, Verachtung zur Errettung eines durch hochmütigen Eigenwillen mit Gott entzweiten, verkehrten, verdrehten, sündigen Geschlechts. Phil. 2, 5 – 8; Hebr. 2, 7. 9
Matth. 20, 28

Wir zwiespältig Geborenen sind ausnahmslos von Herzen hochmütig. Unsere Natur begehrt in allen Dingen das Gegenteil von dem, was Jesus begehrte. Sie lebt von Ehren, Gütern und Genüssen; sie verlangt Ansehen, Besitz, Behagen, und das alles zur Entfaltung der Ichgröße, die sich aufrichtet neben der Größe Gottes. Die Größe unseres Abfalls von Gott ist die Größe unseres Eigenwillens gegenüber Gott. Wer kann sie ausmessen? Wer kann sie in den Staub legen?

Der menschliche Eigenwille, das *ist der* Hochmut.

Der menschliche Eigenwille erträgt Gott nicht. Er flieht Gott. Er widerspricht Gott. Er erhöht sich gegen Gott. Ja, er möchte Gott vernichten. Und der fromme Eigenwille als frommer Hochmut ist ganz gleichen Wesens. Er ist der anmaßendste Hochmut, den es auf Erden gibt; denn er bedient sich Gottes gegen Gott. Am widerlichsten aber ist die Demut, in der sich der Hochmut spiegelt.

Das gefallene, verderbte Menschenherz mag es anfangen, wie es will, es kommt nicht über sich selbst und damit nicht über Eigenwillen, Zwiespalt und Hochmut gegen Gott und Menschen hinaus. Eigendünkel, Geburtsdünkel, Familiendünkel, Standesdünkel, Berufsdünkel, Tugenddünkel, Gelddünkel, Besitzesdünkel, Machtdünkel, Bildungsdünkel, Gelehrtendünkel, Zunftdünkel, Kulturdünkel, Rassendünkel, Volksdünkel, Geschlechtsdünkel, Schönheitsdünkel, Kleiderdünkel, Amtsdünkel, Pharisäerdünkel, Demutsdünkel, ja Einfaltsdünkel sind der vielfältige Ausdruck der immer gleichen närrischen Selbstverliebtheit, in der die eigenwillige Ichgröße sich als Hochmut offenbart und gebärdet. Die hochmütige Selbstbewertung des Menschen ist so grenzenlos wie sein gottwidriger Eigenwille. Solange sich der Mensch in diesem nicht erkannt hat, erkennt er sich auch nicht in seinem Hochmut. Ja, die ichbewußte Selbstbewertung scheint ihm vollauf berechtigt, ihre Aneignung Kulturzweck, ihre Verteidigung Rechtszweck. Von der Ausrufung und Ausbreitung der Menschenrechte erhofft er eine stolze Kulturhöhe. Wahnsinniger Dünkel! Die Gottesrechte aber, das heißt den Anspruch Gottes in uns tritt man mit Füßen!

So hilft denn nichts zur Demut als die heilige Einfalt. Nur die ungeschmälerte Anerkennung des Rechtes Gottes an mich als meines Schöpfers, als meines Erbarmers in Christus Jesus und meines Vaters im Sohne entreißt mich mir selbst. Nur die rücksichtslose Abkehr von mir selbst, nur die bedingungslose Preisgabe meiner selbst, nur die rückhaltlose Hinkehr zu Gott in Christus, nur die durch den Heiligen Geist bewirkte und versiegelte Übergabe an Gott, nur die glaubensgehorsame, immer neue Überlassung an Gott, nur der unentwegte Wandel mit Gott, nur die ichverlorene Ruhe in Gott bieten insgesamt Gewähr für wahrhaft geistgewirkte Demut.

Und alles dieses ist enthalten in der unverrückt Gott in Christus zugewandten Einfalt. Nur in ihrer unbeweglichen Haltung gelingt die Entleerung von jedem Eigenwillen, die Enteignung von jedem Eigentum, die Entwöhnung von jeder gottwidrigen Begierde, die Entblößung von jederlei Dünkel, die Entrechtung von irgendwelchem Anspruch, die Entziehung aller Stützen, die Entfernung von jeder Kreatur, die Enthaltsamkeit von jeder Eigenliebe, die Entbehrung jeder Anerkennung, die Entlastung von jeder Gedanken- und Wissensbürde, die Entjochung von jeder Gebundenheit, die Entzauberung von jeder irdischen Lust, die Entmannung aller eigenen Kraft, die Entwaffnung jedes Widerstandes, die Entwurzelung alles Selbstvertrauens, die Enthauptung jedes Könnens, die Entwürdigung jeder Selbständigkeit und damit die sichere Entthronung der hochmütigen Ichgröße. Dieser Entthronung entspricht der Todeskampf unserer angeborenen Natur, die sich mit finsterem Grauen und verzweifeltem Sträuben gegen ihre Abtötung und ihr Hinsterben wehrt, solange sie kann.

Diesem Verderben des Fleisches entspricht andrerseits die siegreiche Lebenslust des Geistes; denn wer sein hochmütiges Naturleben an Jesus verliert, der wird ein demütiges Gnadenleben aus Jesus gewinnen. Welche Wonnen der Geisteslust winken der Seele, die sich in Einfalt von Gott überwinden läßt! All ihr Empfinden und Begehren wird ins Gegenteil verwandelt. Aus ihrer erbärmlichen Menschenfurcht ist heilige Gottesfurcht geworden. An die Stelle der albernen persönlichen Ehrsucht ist das brünstige Verlangen getreten, Gott und seinen Gesalbten zu ehren. Lob und Ehrung des eigenen Ichs wird wie Schimpf und Qual empfunden, Tadel oder Zurücksetzung wie wohltuende Salbung und wichtige Beförderung hingenommen. Mißachtung und Verleumdung werden Gottes erzieherischer Treue mit Anbetung verdankt. Vereinsamung und Verarmung werden mit Freuden erduldet. Jede Erniedrigung wird als Erhöhung erlebt, jede Schmähung durch Menschen als Würdigung durch Gott bejubelt. Jedem Versuch der Menschen, uns irgendwie zu krönen, wird ausgewichen; jedem Versuch, uns zu kreuzigen, wird stillgehalten. Last wird Lust, Trübsal wird Labsal. Ent-

Matth. 16, 25

95

leerung wird zur Fülle, Entbehrung zur Freude, und Mißfallen an Drangsal wird zum Wohlgefallen an Schwach-
heiten, Beschimpfungen, Nöten, Verfolgungen, Bedräng-
nissen um Christi willen.

2. Kor. 12, 10

Das ist die gottselige Demut der heiligen Einfalt, die es
gar nicht mehr mit Menschen zu tun hat, sondern nur
noch mit Gott. Alle und jede Ehre sei ihm aufgeopfert,
dem *allein* Ehre gebührt!

Herr, ich kann nie größer werden, als wenn Du mich klein
machst. Höre nie auf, mich zu demütigen; denn nur in
der Demut kann ich einfältig bleiben und nur in der Einfalt immer demütiger werden!

29.

DIE INNERLICHKEIT DER EINFALT

Die hochfahrende, abgöttische Zwiefalt und Vielfalt rennt
auf allen Straßen und zeigt sich auf allen Märkten, doch
die Einfalt wohnt am Herzen Gottes. Das ist die *Innerlichkeit* der heiligen Einfalt. Sie lebt fern dem äußerlichen
Getriebe der Vielheit.

Wer von Menschen lebt, braucht immer Menschen, ist
immer zerstreut ins Äußerliche und erwartet alles vom
Äußerlichen. Wer von Ruhm und Ehre lebt, muß andere
rühmen, um gerühmt zu werden. Er muß sich überall zeigen, muß überall dabei sein, damit sein Name nicht in
Vergessenheit gerate und sein Ruhm nicht verblasse. Er
lauert überall auf Berücksichtigung, Anerkennung und
Verehrung. Er hält sich hinauf zu den Hohen und über-
rennt dabei die Niedrigen. Er rühmt sich der Oberen als
seiner Freunde und der großen Menge als seiner Anhän-

ger. Alles, was er tut, tut er vor Menschen, um damit aufzufallen und darin gesehen zu werden. Er muß immer etwas veranstalten, um Aufsehen zu erregen und sein Ansehen zu befestigen. Er läßt vor sich herposaunen, um sich wichtig zu machen, und läßt hinter sich herposaunen, um seine Erfolge zu rühmen. Wenn ihn die Öffentlichkeit auf ihren breiten Rücken hebt und ihn den »bekannten«, »bedeutenden«, »berühmten« Mann nennt, dann ist der Held des hochwogenden äußerlichen menschlichen Getriebes hochbelohnt und schmunzelnd selig.

Die vielbeschäftigte Äußerlichkeit, hinter der meistens der macherische, ehrsüchtige, gewinnsüchtige, genußsüchtige Menschengeist steckt, füllt auch die christliche Schaubühne zum bösen Teil aus. Herrscht nicht allenthalben die äußerliche Vielheit? Sucht man nicht von »Veranstaltungen« aller Art zu leben? Erwartet man nicht beinahe alles vom »äußeren Zusammenschluß« und vom »zahlenmäßigen Erfolg«? Tauchen nicht immer neue »Methoden« der Heiligung, neue Lehrsysteme, neue Richtungen, neue Eiferer auf, die alle ihre verzückten Anhänger finden? O, der bunte Krämermarkt der Äußerlichkeiten, auf dem die allermeisten heute die christliche Seligkeit einzukaufen suchen! Von Menschen eingenommen, von Sonderlehren hingenommen, in Richtungen und Rotten eingezwängt und eingeengt, an öd zusammengeschriebene oder von Überschwenglichkeiten lebende christliche Blätter versklavt, vom geistentleerten religiösen Stundenbetrieb umgetrieben, dabei in eine übertriebene vereinsmäßige Arbeitsteilung eingeengt, von Überarbeitung erschlafft oder nervös überreizt, durch Überfütterung mit kraftloser Speise totgepredigt oder durch Parteieifer aufgereizt: so lassen sich, ach, so viele, viele Menschen in der Hingabe ans Äußerliche um das Beste, was es für sie gibt, um das innerliche Einfaltsleben mit Christus in Gott betrügen.

Ihr geliebten, teuren Herzen, was sucht ihr denn in der Vielfalt bei Menschen, das ihr doch nur in der Einfalt bei Gott finden könnt! Wenn ihr doch ebensoviel Gott suchtet, als ihr die Menschen sucht! Wenn euer Ohr für das, was euch der Geist sagen will, so offen wäre, wie es für die wirren Menschenworte ist! Euer Mangel an Weisheit, an Kraft, an Liebe, Freude und Friede ist ja nur Mangel an Einfalt, Mangel an Innerlichkeit! Statt allezeit eingekehrt zu sein in Einfalt, seid ihr allezeit ausgekehrt in die zerstreuende, verzehrende Vielfalt! O, daß ihr nach innen und damit nach oben leben lerntet! Ach, daß ihr allezeit nichts als die Gegenwart Gottes suchen möchtet, »daß er euch Kraft gäbe nach dem Reichtum seiner Herrlichkeit, stark zu werden durch seinen Geist an dem *inwendigen* Menschen, daß Christus wohne durch den Glauben in euren Herzen und ihr in der Liebe eingewurzelt und ge- *Eph. 3, 16. 17;* gründet würdet!« Wenn ihr nicht den Christus *in* euch er- *Kol. 2, 7* leben lernet, ist ja all euer äußerliches Hören und Reden von ihm vergeblich. Wenn ihr nicht unmittelbar in Einfalt aus ihm leben lernet, bleibt ihr euer Leben lang *1. Kor. 7, 23;* Knechte eurer selbst und der täuschenden Menschen. Dar- *Eph. 4, 14* um »versuchet euch selbst, ob ihr im Glauben – in der Einfalt des Glaubens – steht; prüfet euch selbst! Oder erkennet ihr euch selbst nicht, daß Jesus Christus in euch *2. Kor. 13, 5* ist?«

Wahrlich, die Zeit des äußerlichen, falschen Gottesdienstes wird für die Kinder Gottes bald vorüber sein; es ist Zeit, daß sie den innerlichen Gottesdienst der unverrückt Gott in Christus zugewandten Einfalt unablässig ausüben lernen! Der Bräutigam will kommen, die Braut zu umarmen; wie wird es dann denen gehen, die am nichtsnutzigen Ich und an unzulänglichen Menschen, betrogen durch äußerliches Mitlaufen, hängen geblieben sind? Was kann *Matth. 25, 8* dann der Notschrei frommen: »Gebt uns von eurem Öl!«?

Wie schnell schwinden die Tage unseres Fleisches hahin! Hebr. 5, 7
Wehe denen, deren äußerer Mensch aufgerieben wird,
ohne daß der innere Mensch von Tag zu Tag erneuert
worden ist! 2. Kor. 4, 16
Auch nicht die vielfältige Äußerlichkeit der alltäglichen
Berufsarbeit darf die Innerlichkeit der heiligen Einfalt
beeinträchtigen. Wo soll sich denn diese Innerlichkeit beweisen, wenn nicht im stündlichen Alltagsleben? Gerade
die Einfalt ist ja der einzige Schutz gegen die Veräußer-
lichung des Menschen bei jeder irdischen Hand- oder
Kopfarbeit. Mag ihr äußerliches Angesicht sich über die
Arbeit auf Erden beugen, ihr inneres Angesicht bleibt
stets Gott zugewandt. Gott und die Arbeit und die Arbeit und Gott gehören ihr durchaus zusammen. Wozu
braucht sie denn die Kraft aus der Höhe, wenn nicht zur
Arbeit auf Erden! Die reine Einfalt unterscheidet auch
gar nicht so sehr zwischen Gebet und Arbeit. Beides fließt
ihr einfältig zusammen. Sie arbeitet, wann sie betet, und
betet, wann sie arbeitet. Ist die Arbeit mechanisch-ein-
tönig, also ganz äußerlich, so erlaubt sie um so mehr die
innerliche Beschäftigung mit dem Herrn; ist sie anstren-
gend und hinnehmend, so erfordert sie um so mehr die
betende Beschäftigung mit dem Herrn. Nur der Einfalt ist
jede Arbeitsausführung unmittelbarer Gottesdienst. Sie
nimmt sie furchtlos aus Gottes Hand, beginnt sie im Na- Kol. 3, 17
men Jesu, nicht in eigener, sondern in des Herrn Kraft, Phil. 4, 13
läßt sich dünken, daß sie dem Herrn dient und nicht den Eph. 6, 7;
Menschen, gehorcht dabei den leiblichen Herren eben in Matth. 25, 40
Einfalt des Herzens wie dem Christus, hat es also bei Eph. 6, 5;
jeder Arbeit weder mit sich noch mit den Menschen, son- Kol. 3, 22
dern immer nur mit Gott in Christus zu tun und vollendet
so jede Arbeit mit Dank zu seiner Ehre, die wirkliche Be-
lohnung vom wiederkommenden Herrn erwartend. Wie Offb. 22, 12
sollte eine solche biblische, geistliche Arbeitsweise die

Innerlichkeit der Einfalt zu stören vermögen? O nein! Gerade bei der Arbeit erlebt ja die heilige Einfalt den Empfang der Weisheit und der Hilfe vom Herrn in der wunderbarsten Weise. Jede von der Einfalt getane Arbeit ist in Gott und für Gott getan und muß deshalb zur Verinnerlichung mitwirken und eine Freude und ein Segen sein. Da hat gar nicht der Mensch selber, da hat die Gnade durch ihn gearbeitet, und die Gnade veräußerlicht niemanden.

1. Kor. 15, 10

Ach, Herr, Du siehst das abgöttische, immer ins äußerliche Wesen zerstreute Treiben der Zwiefalt und Vielfalt; Du siehst es auch bei den Deinen in Deinem Weinberg und in ihren Häusern. Du siehst, wie es sie leer läßt und mühselig macht. O, wirke durch den Heiligen Geist die Innerlichkeit der heiligen Einfalt in ihnen, die Christus in sich weiß, die stark wird am inwendigen Menschen, und der alle Arbeit leicht wird, weil sie frischweg in Dir begonnen und fröhlich durch und für Dich getan wird! Laß die Innerlichkeit der Einfalt mein äußerliches Tun erfüllen, und laß jede Äußerlichkeit meiner Verinnerlichung in der Einfalt dienen!

30.

DIE FRIEDFERTIGKEIT DER EINFALT

Weil die Einfalt still innerlich am Herzen Gottes wohnt, braucht sie auch keine Kriege mit den Menschen zu führen. Daraus ergibt sich die innige *Friedfertigkeit* der heiligen Einfalt.

Der Mensch der Zwiefalt ist auch der Mensch der Zwietracht. Ihm geht es immer um das Äußerliche, und das bringt all den leeren Formen- und hartnäckigen Rechtsstreit, worin der Zwiespältige leben muß, sei er Weltmensch oder frommer Pharisäer. Auf das Äußerliche sind Herz und Sinne gerichtet; um das sorgt er, über das wacht er, um das neidet, eifert, rechtet und richtet er. Äußerlich alles zu scheiden, zu ordnen, zu reinigen, ist des Zwiefältigen und Zwieträchtigen Lebenstrieb: vom Inwendigen aber mag er kaum hören; denn inwendig ist er voll Raubs und Unmäßigkeit, voller Totengebeine und alles Unrats, voll Heuchelei und Ungerechtigkeit. Um seinetwillen gibt es Richter und Büttel, Schwerter und Spieße, Kriegsknechte und Oberste, Gesetze und Aufsätze, Paragraphen und Statuten, Gewalttat und Mord auf Erden. Jeder Krieg in Haus, Volk und zwischen den Völkern entstammt den aufs Äußerliche und Eigene erpichten listigen Herzen der Zwiespältigen. Sie können nicht Frieden haben und halten; denn das vielfältige Begehren nach Äußerlichem und Eigenem gibt keinen Frieden: Frieden haben nur die Einfältigen, die an Gott in Christus genug haben. Matth. 23, 25 – 28

Was ist denn der Friede der Einfaltskinder? Nichts anderes als ihre innere Genüge an Gott und ihre innere Sättigung mit Gott. Mehr und mehr haben sie ihr Sinnen und Begehren aus der äußeren Welt zurückgezogen und es nach innen und oben richten lassen. Da haben sie einen solch unausspürbar großen Reichtum an unberaubbaren, unvertreibbaren und unvernichtbaren Himmelsschätzen erschaut, daß sie um seinetwillen das sichtbare und vergängliche Erdengut aus den Augen und Händen lassen können. Jedoch hätte sie keine Verheißung äußerer Himmelsschätze allein jemals nach innen und oben binden können. Gesättigt wurden sie nur durch das erschaute Ebenbild des unsichtbaren Gottes in Christus Jesus, befriedigt werden sie nur durch den Empfang seines Wesens, daß sie den Herrn in sich tragen und sich in ihm wissen. Das Einssein mit ihm, das ist der Friede: Er selber Kol. 1, 15 Joh. 14, 20

Eph. 2, 14 · in ihnen ist ihr Friede. Er, der über alle Vernunft hinaus in ihnen wohnende Friedefürst, bewahrt ihre Herzen und Sinne und regiert sie. Ihre Seele ist eingebunden im Bund der Lebendigen bei dem Herrn und heimlich verborgen im Innersten seines Gezeltes. Seine Linke ist unter des Einfaltskindes Haupt, wenn seine Rechte es herzt. Was sollte die selige Einfalt aus diesem Frieden in seiner Liebe vertreiben?

Phil. 4, 7; Kol. 3, 15

1. Sam. 25, 29; Psalm 27, 5

Hohelied 8, 3

Sie hat volles Genüge, überströmendes Leben, unvergängliches Wesen in ihm. Wen sollte sie beneiden, was noch begehren, um was streiten? Liegt sie nicht am Born des ewigen Überflusses? Wohnt sie nicht am Tor der Unermeßlichkeit? Besitzt sie nicht nach ewigen Übereinkünften den Himmel samt der Erde? Oder welcher Mensch könnte sie vom Herzen Gottes und Christi reißen? Welche Hand von Fleisch könnte ihr das Erbe streitig machen? Muß sie das Ohr wenden, wenn man sie schmäht? Muß sie den Mund öffnen zum Widerwort? Muß sie ihrer Verborgenheit enteilen, um mit Menschen zu rechten? Kann sie an der Brust der ewigen Liebe hassen? Kann sie, vom Arm des Friedefürsten gehalten, sich rächen?

Joh. 10, 11; 2. Tim. 1, 10

Wahrlich, nur die heilige Einfalt hat die Gedanken des Friedens vernommen, die Israels Gott in sich barg! Nur sie hat den Frieden angenommen, den der Gott des Friedens hat verkündigen lassen durch Jesus Christus. Nur sie allein kennt den Herrn des Friedens, der ihr Frieden jederzeit gibt in jeglicher Weise. Nur sie allein ist auf dem Weg des Friedens, den die Zwiespältigen nicht kennen. Nur sie ist wirklich gestiefelt an den Füßen mit Bereitwilligkeit, zu verkündigen die Frohbotschaft des Friedens. Nur sie sucht Frieden und jagt ihm nach und hat, soviel an ihr liegt, mit allen Menschen Frieden. Nur sie ist die glückselig Friedfertige und Friedensstifterin, von der die Frucht der Gerechtigkeit in Frieden gesät wird.

Jer. 29, 11

Apg. 10, 36
Hebr. 13, 20

2. Thess. 3, 16

Luk. 1, 79;
Röm. 3, 17

Eph. 6, 15

1. Petr. 3, 11

Röm. 12, 18

Matth. 5, 7;
Jak. 3, 18

Und nur sie ist die vom Gott des Friedens durch und durch Geheiligte, die unsträflich erfunden wird in Frieden. *(1. Thess. 5, 23; 2. Petr. 3, 14)*

Ach, Herr, Du hast den Frieden von der Erde nehmen lassen müssen; denn die Zwiefältigen bevölkern das Erdreich und säen ihre Zwietracht aus, und der Einfältigen, die in Dir ihre friedsame Genüge haben, sind wenige geworden. Mehre wieder die Einfältigen als einen Samen des Friedens auf Erden und laß sie als Boten des Friedens Dein kommendes Friedensreich verkündigen! Hab herzlichen Dank, daß Du auch in der grauenvollsten, *(Offb. 6, 4; Sach. 8, 12; Jes. 52, 7; 2, 4)* friedlosesten Zeit der Deinen unwandelbarer tiefer Friede bist, in dem sie in seliger Einfalt sich geborgen wissen!

31.

DIE BARMHERZIGKEIT DER EINFALT

Der Friede Gottes und Christi, der das Herz der Einfalt stillt und sättigt und ihr jedes Rechten, Richten und Rächen unmöglich macht, befähigt und bewegt sie zum Mitleid mit den ungestillten und ungesättigten Friedlosen. Das ist die *Barmherzigkeit* der heiligen Einfalt.

Das Gewand, in dem die Einfalt den Menschen gegenübersteht, heißt herzliches Erbarmen. Das Bedauern mit *(Kol. 3, 12)* den armen Zwiespältigen erschüttert ihre Eingeweide. Es jammert sie der Verirrten im Innersten ihres Wesens. Sie sieht die Menschen betrogen, gequält, umhergehetzt von sich selbst und ihresgleichen, genarrt vom Eigenwillen, berauscht von Lüsten und Begierden, verstrickt ins Verderben der Sünde und muß seufzen: O, wie gut könnten sie es haben, diese vom Teufel Verblendeten! *(1. Kor. 4, 4)*

Nur in der heiligen Einfalt lebt das reine Erbarmen Gottes und Christi weiter. Aus diesem Erbarmen ist sie geboren, und dieses Erbarmen belebt ewig ihren Herzschlag. Sie allein kennt den »Vater der Barmherzigkeit, der da reich ist an Erbarmen« und der sie Barmherzigkeit hat erlangen lassen. Darum muß sie barmherzig sein, wie ihr Vater barmherzig ist, und erbittet sie die Fülle der Barmherzigkeit von ihm; denn sie allein weiß, was es heißt: »Ich hatte nichts als Zorn verdient und soll bei Gott in Gnaden sein!« Wie sollte sie denen, die durch Unglauben noch unter Gottes Zorn sind, nicht Gottes rettende Barmherzigkeit rühmen! Wie könnte die Einfaltsseele leben, ohne die Barmherzigkeit, die ihr erwiesen worden ist, auch anderen zu erweisen! So einfältig die Einfalt ist, so unmittelbar barmherzig ist sie.

Doch ihre Barmherzigkeit ist wie ihre Liebe durch den göttlichen Haß geläutert und vermittelt; sie entstammt dem Schnittpunkt des Kreuzes von Golgatha. Dort, wo sich Gott aller Sünder erbarmte, hat er aufs heiligste auch alle Sünde gerichtet. Darum kann das Erbarmen der heiligen Einfalt kein sinnlich-seelisches, fleischliches, kein wehleidiges Mitleid aus der menschlichen Natur mit der menschlichen Natur sein, sondern es ist so geistlich, wie sie selber ist. Es ist keine entschuldigende Nachsicht gegen die Sünde, aber um so mehr rettende Liebe zum Sünder. Als Jesus seinen Todesgang antrat, beklagten und beweinten die Frauen von Jerusalem den Ausgang seines Lebens, das sie doch nur dem Fleische nach kannten. Das war das mitleidige Erbarmen der fleischlichen, naturhaften Einfalt. »Jesus aber wandte sich um zu ihnen und sprach: Ihr Töchter von Jerusalem, weinet nicht über mich, sondern weinet über euch selbst und über eure Kinder!« Das war das geistliche Erbarmen des Meisters der heiligen Einfalt, der in unverrücktem Gehorsam hinging, um nach der

Marginal references (left column):
Röm. 9, 16;
1. Petr. 1, 3
2. Kor. 1, 3
Eph. 2, 4
Luk. 6, 36
Judas 2
Joh. 3, 36
Röm. 11, 32
Luk. 23, 28 – 31

Barmherzigkeit Gottes für die Sünden der verblendeten, dem Gericht verfallenen Stadt und für aller Menschen Sünde zu sterben. Matth. 23, 37 – 39

Die Barmherzigkeit der wahren Einfalt ist niemals eine selbsterwählte, eigenwillige; deshalb scheint sie auch oft der härtesten Unbarmherzigkeit zu gleichen. Eben weil sie nicht fleischliche Wehleidigkeit und seelisches Mitleid ist, kann sie gelassen warten, bis Gott ihr zu wirken befiehlt. Gerade in dieser von Ich und Mensch abgewandten und allein Gott zugewandten Haltung erweist sie ihre Geistlichkeit in Einfältigkeit. Jene kanaanäische Mutter konnte davon erzählen. Ihr zäher Einfaltsglaube entsprach ganz dem starken Einfaltsgehorsam des Meisters; beides war Matth. 15, 22 – 28 gottgewollt. Nie wies Jesus die Hilfesuchenden ab – er selber ist ja der barmherzige Samariter, der Öl und Wein in die Wunden der unter ihrem Mörder leidenden Mensch- Joh. 8, 44 heit gießt –; er spürte aber auch nie Hilfesuchende eigen- Luk. 10, 33 – 37 willig auf. All sein Wohltun war gottgeschenktes, heiliges Begeben.

Der heutigen Wohltätigkeits-, Heil- und Bekehrungssucht geht jede Einfalt ab. Man will barmherziger sein, als es Gott selber ist. Es ist der vielfältig betriebsame religiöse Eigenwille, der sich nie unterm Kreuz hat entleeren lassen und deshalb meint, er könne Kreuz und Leiden und Unglauben auf Erden wesentlich verringern. Jener Priester und jener Levit gingen an dem unter die Mörder Gefallenen vorbei; heute geht man vor lauter »Spezialarbeit« an Gott vorbei. Aus Mitleid mit den Heiden will man heute ganze Länder, ja ganze Erdteile für Jesus gewinnen und gibt andererseits Jesu Wort, ja ganze Bibelteile in Selbstweisheit preis. Das Ergebnis ist Krieg, Revolution, Zusammenbruch von Kultur- und Missionsarbeit. Der Mensch wirtschaftet, und Gott ist nicht mehr dabei; aber die Barmherzigkeit der stillen, einfachen, lauterlich von

105

Gott abhängigen Einfalt erlebt ohne Programm und Sta-
tistik nach wie vor Gottes heilige und wirksame Begeben-
heiten, deren Veröffentlichung einst am Tage Christi er-
folgen wird.

Herr, befähige die Deinen zu mehr hilfsbereiter Barmherzigkeit, die in der freudigen Verborgenheit der allein
von Dir geleiteten Einfalt geschieht! Befreie sowohl von
dem irreführenden seelischen Mitleid als auch von der
vielgeschäftigen, fruchtlosen Eigenwilligkeit! Und hab
Dank, daß Du der Einfalt immerdar zeigst, wer ihr Näch-
ster ist, vor dem sie von Deinem Erbarmen gegen die
Sünder zeugen und an dem sie zu Deiner Ehre Barmherzigkeit tun darf!

32.

DIE FREIGEBIGKEIT DER EINFALT

Am entschlossensten wirkt die göttliche Barmherzigkeit in
der *Freigebigkeit* der heiligen Einfalt. Gott ist der Gebende, und an der Einfalt hat er seine flinkste Hand auf
Erden. Nur durch sie kann er den Kreislauf seiner Güte
und Güter vermitteln. Bei ihr allein stockt der göttliche
Lebens- und Liebesstrom nicht, der sie zu sprechen befähigt: »Nichts für mich!« Nur sie empfängt allezeit, um
immerdar zu geben, und gibt unermüdlich, um stets neu
zu empfangen. So gibt sie immer und bleibt doch selber
unverkürzt. So besitzt sie eigentlich nichts zu eigen und
hat doch nie Mangel. Weil Gottes Güte ungehindert durch
sie hindurchfließt, lebt die arme Einfalt auch bei schein-
barem Mangel allezeit im Überfluß.

Nie gibt sie aber den Menschen, um dann zu sehen, wie
Gott ihr es wieder vergelte. Nein, diese berechnende,

Gal. 6, 9;
Hebr. 13, 16

Luk. 22, 35;
Apg. 4, 34

durchtriebene Selbstsucht kennt die Einfalt nicht. Auch gibt sie sich nicht zuerst Gott, damit er ihr hernach mit seinen Gaben lohne. Dies alles tun nur die Zwiespältigen. Wenn irgendwo, dann kommt gerade beim Geben das Wesen der Einfalt zur klarsten Ausprägung und Anschaulichkeit. Einfalt ist *gerade, lautere, sonnenklar durchsichtige, ungeteilte Herzenshingabe an Gott* ohne die geringste Nebenabsicht. Jede Nebenabsicht würde Selbstsucht verraten, Zwiespalt bedeuten und könnte also nicht Einfalt sein. Warum gibt sich die Einfalt Gott so ungeteilt hin? – Weil sie sich durch ihn als Leben von seinem Leben erkannt hat. Sie weiß sich Gott zugehörig, weil sie sich gottdurchgeistet weiß. Sie ist allerbewußteste, allerentschlossenste Hinkehr, Rückkehr zu Gott, ihrem Ursprung, ihrem Lebensgrund, und alles, was sie in und um sich besitzt und umfaßt, nimmt sie mit zu Gott hin und mit in Gott hinein. Was wird ihr für diese umfassende Hingabe? – Nichts anderes als Gottes völlig umfassende Hinnahme! Aus Gott geboren, zu Gott gezogen, sich Gott zu geben, um endlos von Gott hingenommen zu werden: das ist die innerste Lebenslust, der einzige Lebenswert der heiligen Einfalt. Sie lebt nicht nur *von* Gott, das heißt von den Gaben, die er ihr gibt – denn das würde noch Gegensatz und Selbstsucht bedeuten –, nein, sie lebt *in* Gott, und Gott, der sie in sich eingeschlossen hat, lebt in ihr. Der aber, durch den sie zu diesem Leben in Gott gelangt ist, ist Christus Jesus, den Gott für alle dahingegeben hat als die »unaussprechliche Gabe«, damit uns *mit* ihm alles aus Gnade geschenkt werde und wir *in* ihm überströmendes Gottesleben haben sollen.

Mithin besteht die Freigebigkeit der reinen Einfalt erstlich und letztlich in der einfachen Wiedergabe und Weitergabe des Gotteslebens in ihr ohne jede und alle Nebenabsicht. Ihre einzige Absicht ist, sich so von Gott

1. Kor. 6, 17

Röm. 8, 32;
2. Kor. 9, 15

durchdringen zu lassen, daß sein Leben durch sie hindurch wie Ströme lebendigen Wassers nach dem Maß der
Gabe des Christus anderen zufließen kann. So hat sie, so
gibt sie, so wird ihr gegeben ein volles, gerütteltes, ge-
drücktes und überfließendes Maß, daß sie die Fülle habe,
um in Fülle weitergeben zu können. Jede Selbstsucht ist
dabei ausgeschlossen. Einfältig empfängt sie, einfältig
gibt sie. Welch erquickendes Bild der kreisenden Güte
Gottes im Einfaltsmenschen! Er übt nicht nur die Freigebigkeit aus, nein, er stellt die geistliche Freigebigkeit
dar. Er ist die allezeit in sich selber arme, allezeit in Gott
reiche, allezeit für Gott tätige Selbstlosigkeit. Und immer
hat Gott seine Güte in seinen Einfaltsheiligen verkörpert.
Dies sind immer die Leute, die sich selbst zuerst dem
Herrn gaben und dann nach Gottes Willen zu jeder Hilfe-
leistung für die Heiligen Gottes und jeden Menschen befähigt und bereit sind. Wie denkwürdig bleibt in dieser
Beziehung die Sammlung, die Paulus für die armen Christen in Jerusalem veranstaltet hat! Wir wissen, wie etwa
zwanzig Jahre zuvor die dortige Pfingstgemeinde derart
in geistgewirkter Einfalt ein Herz und eine Seele war,
daß auch nicht einer unter ihnen sagte, daß etwas von
seinen Gütern sein Eigentum sei, sondern sie hatten alles
gemein, und es war auch nicht irgendein Bedürftiger unter ihnen. Nun war das Gegenteil eingetreten: die Gemeinde mußte von Griechenland her unterstützt werden.
Zweifellos wäre es nie so weit gekommen, wenn die Gemeinde in der Einfalt gegen Christus geblieben wäre. Der
Apostel, der ja den Mangel in allen Gemeinden am besten kannte, war um so mehr erfreut über die Gnade
Gottes, die den Gemeinden Mazedoniens zur Beteiligung
an dem eingeleiteten Liebeswerk für die Bedürftigen in
Jerusalem verliehen worden war. Er tat der Gemeinde in
Korinth zur Nacheiferung kund, daß die in Mazedonien

(Randnotizen:)
Joh. 7, 38;
Eph. 4, 7

Luk. 6, 38;
Matth. 13, 12

2. Kor. 8, 5

Apg. 2, 44. 45;
4, 32 – 35

trotz vieler Trübsalsproben ihre Freude, zu helfen, über-
schwenglich groß erwiesen hätten und ihre so tiefe Armut
übergeflossen sei in den Reichtum ihrer Einfältigkeit,
nämlich ihrer Freigebigkeit. Welch schönes Beispiel von   2. Kor. 8, 2
der Übereinstimmung zwischen Einfalt und Freigebigkeit!
Eben jene Gemeinden in Mazedonien waren es, die sich
selbst zuerst dem Herrn gegeben hatten, und nur des-   Vers 5
halb vermochten sie nachher so viel, ja »über Vermögen«   Vers 3
für die Brüder und Schwestern in Jerusalem zu geben.
Ebenso sollten die noch in sich selbst verengten, im Geben kärglichen Korinther, die doch wußten, daß sie durch
Christi Armut reich geworden waren, auch wirklich reich   Vers 9
werden in allen Dingen zu jeder Einfalt, nämlich zu jeder
Freigebigkeit, daß auch sie ob der Einfalt ihrer Teil-   2. Kor. 9, 11
nahme an der Sammlung gepriesen werden könnten, näm-   Vers 13
lich wegen ihrer Freigebigkeit dazu. Wenn auch der Apostel nicht an eine Wiederbelebung der Gütergemeinschaft
in den Gemeinden gedacht haben mag, so hat er doch
mindestens durch den Sieg der Einfalt im Geben einen
Ausgleich im Besitz erwartet. Nie hätte er sonst schreiben
können: »Nicht geschieht das in der Meinung, daß die
andern gute Tage haben sollen und ihr Trübsal, sondern
daß ein Ausgleich sei. Euer Überfluß diene ihrem Mangel
in der gegenwärtigen Zeit, damit auch ihr Überfluß hernach diene eurem Mangel und so ein Ausgleich geschehe,
wie geschrieben steht: Der viel sammelte, hatte nicht   2. Kor. 8, 13-15;
Überfluß, und der wenig sammelte, hatte nicht Mangel.«   2. Mose 16, 18
Bis zu einem gewissen Grad fanden die damaligen Gemeinden auch Gnade zur Anwendung dieses Grundsatzes
des Ausgleichs im irdischen Besitz; aber bis heute ge-
bricht es den Gläubigen an Einfalt, sich als ein vom irdischen Besitz gelöstes Gottesvolk auf Erden zu erweisen.
Der Mann mit den goldenen Ringen und der prächtigen
Kleidung sitzt noch immer bequem obenan in den Ge-

meinden und sammelt heute mehr als je Schätze in den letzten Tagen. Ja, es ist wahr, der reiche »Christ« gibt heute viel für das »Reich Gottes«; aber er gibt noch immer viel, viel zu wenig. Nie gibt er einfältig. Würde er je wahrhaft einfältig vor Gott, dann würde er sich seines Überflusses vor seinem armen Bruder schämen und nach dem apostolischen Grundsatz des Ausgleichs zu leben begehren. Nun aber bleibt sein Herz geteilt zwischen Gott und Mammon und ist unfähig zur Einfalt, und doch sind die Nadelöhre durch das Blut des Gotteslammes nicht weiter geworden. Noch immer muß der »gute Meister« den »reichen Jüngling« weggehen lassen, und noch immer kommen Ananias und Saphira überein, den Geist des Herrn zu versuchen und von dem Kaufpreis etwas beiseite zu schaffen, den sie dem Gekreuzigten schulden. Solche sind alle, denen die Einfalt fehlt: sie wollen den Preis nicht zahlen, sie wollen von ihrem Eigenleben zurückbehalten, sie wollen sich selbst nicht geben.

Noch immer sitzt Jesus dem Opferkasten gegenüber und sieht zu, was Gott den Menschen wert ist. Er beobachtet, wie die Volksmenge ihr Kleingeld in den Kasten wirft. Viele Reiche werfen viel ein; eine arme Witwe aber kommt und wirft zwei Heller ein, was einen Pfennig ausmacht. Jesus ruft seine Jünger heran und spricht zu ihnen: »Wahrlich, ich sage euch: Diese arme Witwe hat mehr in den Gotteskasten gelegt als alle, die eingelegt haben. Denn sie haben alle von ihrem Überfluß eingelegt; diese aber hat von ihrer Armut alles, wovon sie lebte, ihre ganze Habe eingelegt.«

Die heilige Einfalt ist allezeit diese arme Witwe.

Herr, Du siehst auch mich. Ich schäme mich meines billigen Betens; denn hier geziemt sich nur die Tat. Nimm mich und das Meine als gänzliches Opfer hin: mein ganzes Ich, mein ganzes Vermögen!

Jak. 2, 2 – 9; 5, 1 – 6

Matth. 19, 16 – 22

Apg. 5, 1 – 11

Mark. 12, 41 – 44

33.

DIE GENUGSAMKEIT DER EINFALT

Je mehr sich ein Mensch der himmlischen Einfalt überläßt, desto einfacher wird inmitten der zwiespältigen und
vielfältigen Kultur sein Leben. Wer auf Erden nichts
mehr als den großen Gewinn der Gottseligkeit zu machen
begehrt, bekommt erleichterte Taschen, entlastete Schul-
tern und unbeschwerte Hände. Er erlernt die *Genügsamkeit* der heiligen Einfalt. 1. Tim. 6, 6 – 10
Wie viele Dinge muß doch ein Mensch haben, der Jesus
nicht hat! Wer aber mit ihm lebt, der kann leben, ohne
vieles zu haben. Die meisten Bedürfnisse der Menschen
sind eingebildete Bedürfnisse; sie entspringen der Unzu-
friedenheit ihrer ungestillten Seele, und ihre vielspältige
Vernunft redet ihnen zu, der Besitz mache den Menschen.
Auch ihre Denkbedürfnisse beruhen größtenteils auf der
Einbildung ihres unerleuchteten Herzens. Ihre »Probleme«,
mit denen sie sich beschweren, ihre kopfzerbrecherischen
Gedankenflüge, die sie in ichverliebter Wichtigkeit ausführen, wären gar nicht da, wenn sie sich zur wahren Einfalt erniedrigen lassen würden. Doch lieber spinnen sie
Luftgespinste und entfernen sich immer weiter vom Ziel.
Gott hat es den Menschen nie schwer auf Erden machen
wollen; nur ihr verzwickter Eigenwille hat es ihnen schwer
gemacht und treibt es noch immer heilloser fort. Dieser
ichsüchtige Eigenwille ist die eine Ursünde, der die ganze
Verkehrtheit und Verdrehtheit dieses mißratenen Menschen-
geschlechtes folgen mußte. Dann kam Jesus Christus, bot
sich ihnen als Friedefürst an, der ihnen zusicherte: »*Mein*
Joch ist sanft, und *meine* Last ist leicht.« Aber nein! Sie
verschmähten sein Joch und seine Last und schleppen lieber unterm Satansjoch an der selbstbereiteten Last weiter.

Eigenwillig wie Jesu Wort von der Schlangenklugheit haben sie auch Pauli Wort vom Allbesitz: »Alles ist euer«, verdreht und zum frommen Deckel der mannigfaltigsten selbstsüchtigsten Ungenügsamkeit gemacht. Den Nachsatz: »Ihr aber seid Christi!« unterschlagen sie geradeso wie Jesu Wort von der Taubenunschuld. Wer Christus angehört, hat aufgehört, der Welt und ihrer Lust zu gehören. Das Leben des Apostels ist die Auslegung seines Wortes. Um das Ziel zu erreichen, enthielt er sich jedes Dinges, das beschwert und nicht mitwirkt zur Erlangung des himmlischen Kampfpreises. Die Vortrefflichkeit der Erkenntnis Christi hatte ihm so unvergleichlich großen Gewinn gebracht, daß er um dieses Gewinnes willen alles als Schaden erachtete, was er einst besaß oder was ihn irgend noch hindern konnte, den Christus zu erkennen. Das ist eine andere Auslegung seines Wortes als die zwiespältige, kulturberauschte, kulturverlogene von heute. Eben weil der Einfaltschrist »ein Herr aller Dinge« ist, knechten ihn die Dinge nicht mehr. Bedienen kann er sich ihrer noch um Christi willen; aber um seiner selbst willen bedarf er ihrer immer weniger. Der Einfaltschrist lebt, als ob er längst gestorben wäre und nur noch Christus an seiner Stelle lebte. So allein empfängt er den rechten Maßstab für seine Genügsamkeit. So benutzt er in aller Einfalt, was ihm gemäß der Gesinnung Christi – nicht gemäß dem damaligen äußerlichen Leben Jesu – von den »Kulturerrungenschaften« zu brauchen erlaubt ist, und erweist sich gerade so als ein Herr der Kultur, der durch den Glauben des Sohnes Gottes die Welt überwunden hat und durch diesen Einfaltsglauben in Sanftmut herrscht auf Erden.

So ist die Genügsamkeit der heiligen Einfalt immer geistgeleitete reife Wahl, die wohl vorhandene Lebensformen achtet, sich aber nie weder an unfromme noch fromme

1. Kor. 3, 22. 23

1. Kor. 9, 25;
Phil. 3, 13. 14

Phil. 3, 7 – 11;
Apg. 22, 3

Gal. 2, 20;
1. Joh. 5, 4;
Röm. 5, 17

Manieren und Moden versklavt. Gerade die wahre Einfalt und nur sie allein findet und besitzt hier das göttliche Maß und den göttlichen Takt. Der Zwiefalt aber gelingt immer nur die eitle Geziertheit oder die gedankenlose Nachäffung. Je zarter die Einfalt dabei gegen den Geist wird, desto williger wird sie alles ablegen, was ihr als Ausdruck der Ichgefälligkeit in Rede, Gebärde, Kleidung, Schmuck usw. bezeichnet worden ist. Unauffälligkeit in jeder Beziehung entspricht allein ihrem Wesen. Jede übertriebene Vereinfachung würde ebenso wie das Gegenteil nicht mehr Einfalt sein. Je mehr sie aber Christus anzieht, desto mehr kann sie sich ohne Schaden für ihr Wesen auch von vielerlei menschlichen Äußerlichkeiten entblößen lassen. Immer freudiger wird sie entdecken, daß sie vieles, was ihr früher unentbehrlich schien, jetzt nicht mehr bedarf. Ja, sie wird geleitet werden, mit Freuden jeden Tag mindestens einen Faden von dem lösen zu lassen, was sie noch mit der Erde verbindet, damit die Verbindung nach oben umso fester geknüpft werden kann. Das Unsichtbare wird ihr zum Sichtbaren im Geiste, das Sichtbare der Sinne verblaßt ihr zum Unsichtbaren. Das Zeitliche vergeht, und der allgenugsame, ewige Gott in Christus Jesus und sein allein erleuchtendes und nährendes ewiges Wort wird ihr einzig notwendiger Besitzstand. *(Röm. 13, 14)* *(2. Kor. 4, 16 – 18)*

In dieser reichen Genüge schwindet der heiligen Einfalt auch jedes Verlangen nach Menschenweisheit. Sie liest immer weniger, dazu immer auserwähltere Bücher und nur solche, die vom inneren und ewigen Leben reden. Sie sucht nicht mehr; sie hat gefunden. Sie muß nicht mehr wissen: sie weiß und weiß genug; kein Mensch kann sie mehr belehren, nur Gott. Auch im Verkehr mit den Menschen selbst wird sie immer genügsamer. Sie bedarf keiner neuen Bekanntschaften und pflegt weder seelische *(1. Joh. 2, 20. 27)*

Freundschaften noch liebt sie Gesellschaften: sie hat an Jesus genug. Ihn immer besser kennen zu lernen, ist der reinen Einfalt einzige Ungenügsamkeit; denn gleichwie ihr alles nicht mehr genügt um seinetwillen und sie gerade wegen dieser Ungenüge *an* allem genügsam *in* allem geworden ist, so muß sie auch immer wieder entfliehen der Ungenüge an sich selbst, muß sich selber loslassen, um Jesus immer noch inniger neu zu fassen. Immerdar satt ihrer selbst, stillt sie immerdar ihre Unersättlichkeit in ihm.

Laß mich, Herr, immer mehr verlernen, um Dich immer völliger zu erkennen! Laß mich immer mehr verlieren, um Dich immer reicher zu gewinnen! Laß mich immer mehr vergessen, um Deiner immer unablässiger zu gedenken! Vertreibe mich auch aus jeder Selbstgenüge, so daß ich keinerlei Süßigkeit mehr aus mir selbst zu ziehen vermag, sondern meine einzige Labsal und ausschließliche Genüge allein in Dir habe!

34·

DIE SORGLOSIGKEIT DER EINFALT

Ureigentlich nur Jesu bedürfen und sich von ihm erwählt, ergriffen und geweidet wissen, das ist die *Sorglosigkeit* der heiligen Einfalt. Sie ist das Wissen von der eigenen Unfähigkeit und von der treu schenkenden Güte Gottes im dahingegebenen Sohne.

Nur die Einfalt ist reich genug, um sorglos leben zu können; denn nur sie ist arm genug, selbst nicht mehr sorgen zu können. Solange eine Seele noch sorgen kann, solange ist sie noch nicht einfältig. Sie ist noch nicht arm genug, sich versorgen zu lassen.

Der Vater der Sorge ist der Eigenwille, ihre Mutter ist die
Vernunft. Die Kluft des Zwiespalts mit Gott ist das Ehe-
lager. Der Eigenwille ist selbstsüchtig furchtsam, die Vernunft ist die Furchterregerin. Erst rechnet sie ihm sein
Zukurzkommen vor, dann liefert sie ihm die Pläne zur
ängstlich besorgten Selbsthilfe. Sobald der erregte Eigenwille auf die Schwarzmalerei und Planmacherei der Vernunft eingeht, ist die Sorge geboren, und nichts auf Erden
wächst so unheimlich schnell und breitet sich so bedrückend
aus wie eben die Sorge.
Die Sorge ist der Fluch der Ichgröße. Sie ist der Ausdruck
des Ichwahns, der Mensch könne und müsse sein Leben
selber machen, *er* müsse für alles und jedes sorgen. Soviel ein Mensch noch an sich selbst glaubt, so viel Sorgen
macht er sich und in so viel Plänen der Selbsthilfe oder
in so viel Sackgassen der Verzagtheit und Verzweiflung
steckt er. Nichts bezeichnet den Fluch der Loslösung des
zwiespältigen Menschenherzens von Gott so deutlich wie
die Sorge. Jede Selbständigkeit Gott gegenüber rächt sich
als Unruhe, Angst, Sorge und Entmutigung. Der zwiespältige Mensch hat sich selbst zum Mittelpunkt des Geschehens gemacht, und endlich graut ihm vor der Vielfältigkeit der Gefahren, die ihn umringen, und vor der
Menge der Pflichten, die er erfüllen soll. Furcht und
Sorge sind die Dornen, die sein zwiespältiges Herz zer-
stechen.
So ist die Sorge die beredteste Gegnerin der Einfalt. Sie
ist das stete »Aber!«, das die Vernunft der Glaubenstätigkeit entgegensetzt. Sie ist die immer neue moralische
Rechtfertigung des Eigenwillens: »Aber, man muß doch
auch sorgen!« Sie ist die leidige Plage des Menschen, die
die Genesung seiner Seele zur Einfalt erschwert. Nichts
hindert so die Abkehr von der Sinnen-, Menschen- und
Ichwelt und das selige Eingehen in die Einfalt gegen Gott

in Christus wie die vielgeschwätzige Sorge. Sie ist die listigste, verschlagenste und zäheste Feindin der Einfalt. Aus Ichwillen und Ichklugheit geboren, trachtet sie der aus Gott geborenen Einfalt nach dem Leben wie eine überall schleichende, immer giftig züngelnde und höhnisch zischelnde Schlange. In die Glaubenstätigkeit der Einfalt zischelt sie ihre Zweifel hinein. Die Schweigsamkeit der Einfalt möchte sie beunruhigen, die Einsamkeit stören, die Stille erschrecken, die Bewährung vereiteln, die Gebetsarbeit unterbrechen, die Enthaltsamkeit betrügen, die Geduld ängstigen, die Tapferkeit lähmen, die Gelassenheit aufreizen, die Geradheit brechen, die Keuschheit schmähen, die Gemeinschaft verderben, die Liebe entkräften, die Wachsamkeit einschläfern, die Sanftmut schelten, die Demut verhöhnen, die Innerlichkeit verscheuchen, die Friedfertigkeit bekriegen, die Barmherzigkeit unterbinden, die Freigebigkeit schmälern und die Genügsamkeit verhetzen. Kurz, die Sorge erhebt allüberall und immerdar den vielstimmigen Einwurf und Vorwurf gegen die heilige Einfalt: Sei doch nicht so einfältig; denn so einfach, wie du dir einbildest, ist die Sache denn doch nicht! – Sie ist des Teufels vieltönigstes und wirksamstes Mundstück.

Als »Sorge dieser Welt« ist sie der eine große, schwüle, erstickende Betrug, in dem die verblendete Menschheit fiebernd und seufzend unfruchtbar für Gott gefangen liegt. Als »Sorge dieses Lebens« ist sie die schwere, selbsterwählte Bürde der uneinträglichen Mühe und Arbeitslast, unter der ein Mensch in seinem Leben gedrückt und geplagt einhergeht. Als »Sorge der Nahrung« ist sie der irdisch gerichtete, nur auf Essen und Trinken bedachte und nur um die Erhaltung des natürlichen Lebens besorgte und das Herz beschwerende Sinn. Als Sorge »für die Kleidung« ist sie der Ausdruck der Unwissenheit von

Matth. 13, 22

Luk. 8, 14

Luk. 21, 34

Matth. 6, 25. 28

116

Gott, die sich äußerlich um Bedeckung und Schmückung des Leibes abmüht und den Wert des Lebens und Leibes für Gott nicht kennt. Als Sorge »für den andern Morgen« Matth. 6, 34 ist sie recht eigentlich der Gegensatz zur Einfalt und der Ausdruck des unkindlichen, gottfernen Eigensinnes, der, ängstlich und selbstklug zugleich, am liebsten den ganzen Lebensweg auf einmal nach eigenem Willen und mit eigener Mühe ordnen und selbstsüchtig sichern möchte. Als Geld- oder Ehrliebe ist sie ausgesprochene Abgötterei, und als leidensscheue Sorge ums leibliche Wohlbefinden ist sie gerade die Ursache vieler Erkrankungen und so recht ein Ausdruck der eigenwilligen Zwiespältigkeit gegen Gott.

Dem allem gegenüber besteht die Sorglosigkeit der rechten Einfalt erstens in ihrer Genügsamkeit. Sie sucht und fürchtet nichts als Gott in Christus. Tausend Dinge, die das Herz der Zwiespältigen zum Begehren locken und zum Sorgen erregen, lassen das Herz des Einfältigen unberührt, weil es sie nicht mehr begehrt. Sie sorgt immer weniger um die Dinge der Welt, um immer ungeteilter und ungestörter ihrem Herrn dienen zu können.

Sodann besteht die Sorglosigkeit der Einfalt in ihrer Kindlichkeit. Sie braucht sich nicht nur um vieles nicht mehr zu sorgen, sondern sie kann überhaupt nicht mehr sorgen wie die zwiespältige, eigenmächtige und vernunftstolze Welt; sie ist zu unmündig, zu töricht und zu ohnmächtig dazu. Sie müßte sich ja selber umbringen, wollte sie anfangen, für sich zu sorgen. Jede Selbständigkeit der Lebensführung ist ihr doch unmöglich. Ihr ganzes Wesen ist ja Abhängigkeit von Jesus, ihrem Herrn und Haupt, der ihr geboten hat: »Sorge nicht!« Matth. 6, 25 Wahrlich, nur die himmlische Einfalt geht sorglos über die Erde! Sie nur hat die Vögel unter dem Himmel, die nicht säen und nicht ernten und nicht in Scheunen sam-

117

meln, recht gesehen und erkannt, daß sie mehr ist als diese. Sie nur hat die Lilien auf dem Felde, die nicht arbeiten, auch nicht spinnen und doch schöner als Salomo in aller seiner Herrlichkeit gekleidet sind, recht geschaut. Sie will das sein, was sie mehr ist, als Vogel und Blume sind im Reiche der Natur. Sie weiß sich auch mehr und will auch mehr sein, als die sind, die da säen und ernten, arbeiten und spinnen, essen und trinken und sich kleiden im Reiche der Kultur. Sie weiß ihrer Lebenslänge mehr als eine Elle zugesetzt. Sie will das sein, was sie ist, nämlich Kind Gottes im Reiche Gottes, nach dessen Gerechtigkeit sie getrachtet und die sie empfangen und um derentwillen ihr alles ohne Sorge zufällt: himmlische und irdische Nahrung und Kleidung und göttliche, ewige Schönheit und Herrlichkeit, schöner und herrlicher als die Lilien und Salomos vergängliche Pracht.

Matth. 6, 26-30. 33

Sie ist, wie ihr Meister war in dieser Welt, dem nie um Nahrung und Kleid bangte und dessen vollkommene Liebe ihr die Furcht und mit der Furcht die Pein des Sorgens ausgetrieben hat. Seine Liebe, die sie ans Herz des himmlischen Vaters gehoben hat, ist ihr der alle Vernunft übersteigende Beweis, daß sie auf ewig versorgt ist. Als eine

Matth. 5, 3

Bettlerin im Geist ist sie eine Tischgenossin seiner königlichen, alle Erkenntnis übertreffenden Liebe geworden,

Eph. 3, 19

durch die sie mit zur ganzen Fülle Gottes erfüllt wird: wie sollte sie noch irdisch sorgen müssen! Als Erbin Gottes und Erbgenossin des Sohnes Gottes: wie sollte sie noch

Röm. 8, 17. 32

an ihrem Lebensunterhalt zweifeln! Nein, die heilige Einfalt weiß: Kronen darf sie droben, Kreuz hier unten tragen; aber Sorge muß sie nimmer tragen.

Darum hütet sie sich in nüchterner Wachsamkeit vor jeder Beschwerung durch Sorgen, und sobald eine Sorge die Schwelle ihrer Herzenstür zu überschleichen sucht, so packt sie die lebensfeindliche Gegnerin und wirft sie in der Kraft des Herrn auf ihn. Er, der Sünde und Seuche getragen, er will auch der Einfalt Sorge tragen. »Alle eure Sorge werfet auf ihn; denn er sorget für euch!« *Er* sorget! Nicht einen Augenblick darf sie zögern, das ihm zuzuwerfen, was ihm zugehört. Es ist eine ständige Tat ihrer Gebetsarbeit. »Sorget um nichts, sondern in allen Dingen lasset eure Bitten im Gebet und Flehen mit Danksagung vor Gott kund werden!«

1. Petr. 5, 7

Phil. 4, 6

So ist der heiligen Einfalt einzige Sorge, um *nichts* zu sorgen, weil sie *alle* Sorgen ihrem Herrn zuwirft: Die Sorge um Nahrung und Kleidung: ihr himmlischer Vater *weiß*, daß sie beides bedarf und hat es ihr gegeben mit seinem geliebten Sohn; die Sorge um Leibeskraft: sie weiß, daß, wenn sie mit ihrem Leib in den Tod Christi eingeht, auch die Kraft der Auferstehung Christi ihren sterblichen Leib durch den in ihm wohnenden Geist lebendig macht, und über Leben und Tod hinaus weiß sie sich des Herrn; die Sorge um Geisteskraft: sie wird ihr zur rechten Stunde gegeben werden; die Sorge um errettete Seelen: sie rühmt sich ihrer Schwachheit und bringt sie dem Erzhirten; die Sorge um unerrettete Seelen: sie traut Gottes Verheißungen; die Sorge um die Durchrettung der eigenen Seele: sie weiß sich ewig dem zugehörig, der sie erwählt hat, der in ihr als ihres Lebens Leben ist, und der als der Urheber des Glaubens auch der Vollender ihres Glaubens ist.

Matth. 8, 17;
Röm. 8, 11;
2. Kor. 4, 11

Röm. 14, 8

Matth. 10, 19
2. Kor. 11, 28 - 30;
1. Petr. 2, 25
Luk. 19, 9;
Apg. 16, 31; 2, 39;
1. Tim. 2, 4;
2. Kor. 1, 20
Joh. 15, 16;
1. Joh. 4, 4. 13;
Phil. 1, 6;
Hebr. 12, 2

Kein reineres Merkmal der heiligen Einfalt ist denkbar als ihre Sorglosigkeit. Sie bringt den immer wieder neu ausbrechenden Glanz auf der Einfalt Angesicht, das über alles hinaus Jesus zugewandt bleibt. So gerät der himmlischen Einfalt statt der Sorge allezeit nur die Danksagung. Jede aufsteigende Sorge verwandelt sich auf der Schwelle des Einfaltsherzens in eine aufsteigende Danksagung. Ja, die lobpreisende Macht der Danksagung ist geradezu die Kraft, mit der die Einfalt die Sorge abfängt und sie auf

den Herrn wirft. So erfüllt sie unaufhörlich den Willen
Gottes in Christus Jesus: »Seid dankbar in allen Dingen!«
und erweist sich als fleckenloses Gotteskind mitten in
einem verkehrten und verdrehten Geschlecht, worin sie
leuchtet wie eine Lichtgeberin in der von Sorgen gequälten undankbaren Welt.

1. Thess. 5, 18

Phil. 2, 15

Ja, Vater, hab Dank, daß Deine Einfaltskinder so sorglos
auf Erden leben dürfen, ohne jemals dabei zu kurz zu
kommen! Laß auch mein Herz von keiner anderen Sorge
erfüllt sein als von der, glaubenstätig mich vor jeder
Sorge zu hüten, um auf Jesus zu werfen, was mich quält,
und durch ihn zu erbitten, was mir fehlt! Mache mich dabei überströmend in Danksagung zur Erfüllung Deines
heiligen Gotteswillens in aller Einfalt!

35.

DIE FREIHEIT DER EINFALT

Befreit von der hetzenden, lähmenden, knechtenden Sorge,
entspricht der Sorglosigkeit der Einfalt die *Freiheit* der
heiligen Einfalt.

Die selbstsüchtige, selbstkluge Sorge versklavt den Zwiespältigen in vielfältigster Weise an sein Ich, an seine Lüste,
Begierden, Bedürfnisse, Gewohnheiten, Befürchtungen,
Mißstimmungen, Umstände, Verhältnisse, hetzt ihn heute,
lähmt ihn morgen und liefert ihn allezeit der schmäh-
lichen Menschenknechtschaft aus. Je vielfältiger die Sorge
um das geliebte Ich, desto vielfältiger die Bande, in die
hinein das Ich verstrickt wird bis hinab in die Bande des
Selbstmordes und Todes.

Die Sorglosigkeit der Einfalt ist die Befreiung und Genesung aus allen diesen knechtenden Stricken und Fes-

seln. Man möchte sagen: Die so heilsame Sorge um die Sorglosigkeit der Einfalt ist die einzig wahre Heilssorge; denn nur sie leitet in die Ruhe des Glaubens hinein und *Hebr. 4, 3* entspricht der Freiheit vom Joch jeder Knechtschaft, zu der uns Christus befreit hat. Nur die sorglose Einfalt *Gal. 5, 1* kann sagen: Der Sohn hat mich recht frei gemacht. Wer *Joh. 8, 36* geht so frei über die Erde wie die heilige Einfalt? Wer kann so kindlich zum Himmel aufschauen wie sie? Wer ist so vielen Stricken entronnen wie sie?

Sie weiß sich befreit von dem verhärteten, irrseligen Herzen aus den vorigen Tagen des Zwiespaltes. Sie weiß sich *Hes. 36, 26* entflohen dem Verderben, das in der Welt durch die Lust herrscht. Sie weiß sich entledigt der Last der vielfältigen *2. Petr. 1, 5* Sündenschuld. Sie weiß sich los von der Qual des bösen *Eph. 1, 7* Gewissens. Sie weiß sich freigemacht durch die Wahrheit *Hebr. 10, 22* vom Geist des Irrtums. Sie weiß sich freigemacht vom *Joh. 8, 32;* Gesetz der Sünde und des Todes. Sie weiß sich freige- *1. Joh. 4, 6* macht vom Knechtsdienst der Sünde. Sie weiß sich er- *Röm. 8, 2* rettet aus der Gewalt der Finsternis und versetzt in das *Joh. 8, 34;* Reich des Sohnes der Liebe Gottes. Sie weiß sich losge- *Kol. 1, 13* kauft vom Fluch des Gesetzes. Sie weiß sich losgekauft *Gal. 3, 13* von dem Joch und den Satzungen jeder Menschenknecht- *1. Kor. 7, 23;* schaft. Sie weiß sich entnommen der Angst in der Welt. *Kol. 2, 20* Sie weiß sich erlöst aus der Knechtschaft der Todesfurcht. *Joh. 16, 33* Und sie weiß sich erlöst vom kommenden Zorn Gottes. *1. Thess. 1, 10* Welch eine unvergleichlich herrliche Freiheit!

Nur die Einfalt steht fest in dieser Freiheit; denn nur sie hat ehrlich hineingeschaut in das vollkommene »Gesetz der Freiheit« und ist dabei geblieben. Sie allein ist keine *Jak. 1, 22 – 25* vergeßliche Hörerin des Wortes Gottes gewesen, sondern zur wirksamen Tat vorgedrungen; denn sie allein ist nicht fortgelaufen, nachdem sie das leibliche Antlitz des ada- mitisch verderbten Menschen im Spiegel der göttlichen Offenbarung geschaut hat. Nie hat sie vergessen können, wie schaurig verkommen das zwiespältige Menschenherz beschaffen ist, und so ist sie allein aufrichtig bereit gewesen, jeder Knechtschaft des Verderbnisses zu enteilen, um dem anzugehören, der völlig erretten kann, die sich Hebr. 7, 25 durch ihn zu Gott nahen.

Wer sind denn die, welche sich in Christus Jesus wahrhaftig zu Gott nahen? Es sind die, welche sich durch das Jak. 2, 12 »Gesetz der Freiheit« unausgesetzt richten lassen. Was ist aber dieses »Gesetz der Freiheit«? Es ist nicht das heilig zürnende »Gesetz Gottes« vom Sinai, das bindet und richtet, aber nicht freimacht und rettet. Es ist auch nicht das »Gesetz der Vernunft«, das zwar dem Gesetz Gottes recht gibt, aber keine Kraft zum Vollbringen enthält. Es ist auch ganz und gar nicht das »Gesetz in meinen Gliedern«, das ja als eigentliches »Gesetz der Sünde« wider Röm. 7, 22–25 das Gesetz Gottes und das Gesetz der Vernunft streitet. Sämtliche drei Gesetze sind Gesetze der Knechtschaft; denn sie fesseln mich an die Ohnmacht meines eigenen Ichs. Das »Gesetz der Freiheit« ist vielmehr das »Gesetz Röm. 8, 2 des Geistes, der da lebendig macht in Christus Jesus«. Es ist das innere Gesetz, nach dem das Leben Jesu im Geiste verlief, und das auch jedem Leben innewohnt, das Geist und Leben von Christi Geist und Leben ist. Was ist der Inhalt dieses Gesetzes des Geistes und der Freiheit? — Sein großer Inhalt ist der: Selbsthingabe, geistbewirkte, geistgeleitete Aufopferung der Selbstheit, Ichheit, Eigenheit für Gott! »Wer sein Leben erhalten will, der wird's verlieren; wer aber sein Leben verliert um meinetwillen, Matth. 16, 25 der wird's finden.« Jedes Beharren in der Selbstsucht ist Verbleiben in der gottfeindlichen, christusfeindlichen Gesinnung des Fleisches und in den Banden der Knechtschaft. Alle, die ihr Selbstleben retten wollen, leben nach dem Fleisch und bleiben deshalb unter dem knechtenden Gal. 5, 19–21 und tötenden Fluch des äußeren Gesetzes; denn »wer

Christi Geist nicht hat, der ist nicht sein«. Die sich aber vom Geist leiten lassen, sind nicht unter dem Gesetz; denn wo der Geist des Herrn Herr geworden ist, da ist Freiheit, nämlich Freiheit von fleischlicher Ichherrschaft und knechtender Gesetzesherrschaft. Da richtet der Geistliche alles geistlich, und er selbst wird auch nur durch das Gesetz der Freiheit, nämlich innerlich, gemäß dem Gesetz des Geistes Christi gerichtet. Röm. 8, 9   Gal. 5, 18   2. Kor. 3, 17   Jak. 2, 12   1. Kor. 2, 14 – 16

Selbstleben und Knechtschaft gehören unzertrennlich zusammen; Selbsthingabe und Freiheit gehören auch untrennbar zusammen. Darum ist der Heilige Geist als der große Befreier auch der große Entzweier des Menschen mit dessen eigenem Selbst und der große Enteigner von aller fleischlichen Ichheit. Er nimmt dem Menschen alles, worin das Ich seine Selbständigkeit und scheinbare Freiheit hat. Durch das Wort Gottes als Schwert des Geistes scheidet er Seele und Geist, Gelenke wie Mark und richtet die Sinne und Gedanken des Herzens; ja alles legt er bloß und deckt er auf, was als ichtrotziger Eigenwille sich noch Gott entzieht. Er läßt dem Menschen keine eigene Weisheit, keine eigenen Wege, keine eigenen Ziele, keine eigene Freiheit, keine eigene Kraft, keine eigenen Werke, keine eigene Gerechtigkeit, keine eigene Ehre, keinen eigenen Besitz, keine eigene Zeit, keine eigene Zukunft, keine eigene Erlösung, keine eigene Hoffnung, keine eigene Herrlichkeit. Er sucht den Menschen jeder selbstischen Eigenheit zu entblößen, um ihn ganz für Gott zu gewinnen und mit Christus zu bekleiden, so daß der Mensch fortan nichts mehr in sich, sondern alles nun in Christus habe. Hebr. 4, 12. 13

Diese Loslösung des Menschen von seinem eigensüchtigen Ich ist der einzig mögliche Weg zu seiner Befreiung. Es ist die Preisgabe jeder Selbständigkeit und die Einwilligung zu jeder Gebundenheit an Gott, Gottes Sohn und

Gottes Wort. Es ist die Erlangung der Freiheit im Geist, der einzigen, die es auf dieser jetzigen Erde gibt.

Und wer ist zur Erlangung dieser herrlichen Freiheit der Kinder Gottes tüchtig? Niemand sonst als die heilige Einfalt! Nur sie läßt sich so gründlich mit dem Fleisch entzweien, so willig im Eigenwillen enteignen, so endgültig vom Ich scheiden, so gänzlich von allem Eigenen entblößen, so unausgesetzt durch das »Gesetz der Freiheit« vom Geiste richten. Ja, nur in der reinen Einfalt erfüllt sich das Gesetz der Freiheit und des Geistes!

Die selbstsüchtig-durchtriebenen Zwiespältigen aber haben diese Freiheit im Geist allezeit nur mißbraucht. Als Knechte ihres Ichs und der Menschen haben sie die Freiheit nur zum Deckmantel der Bosheit und gebrauchen sie zum Anlaß für das Fleisch, wobei sie die Freiheit der Einfaltskinder auszukundschaften suchen, um diese in Knechtschaft zu bringen, und verheißen andern Freiheit, während sie selber Knechte des Verderbens sind. Von solchen ist auch heute die religiöse Schaubühne voll.

Ach, Herr, wie danke ich Dir, daß Du auch mich zur Freiheit berufen hast! Nimm mich noch viel mehr hin, damit ich noch viel mehr frei werde von mir! Und bewahre vor solchen, die der Freiheit nachspüren, welche die Einfalt hat in Dir! Herr, ringsum liegt eine in der Selbstsucht verkommene Menschheit in den Ketten der Sündenknechtschaft und fiebert in stolzen Freiheitsträumen; ich bitte für die Aufrichtigen unter ihnen: Führe sie zur Freiheit der heiligen Einfalt!

1. Petr. 2, 16
Gal. 5, 13

Gal. 2, 4;
1. Kor. 10, 29. 30
2. Petr. 2, 19

36.

DIE FREUDE DER EINFALT

Wie ihre Freiheit so ist die *Freude* der heiligen Einfalt. Ihre Freiheit ist ihre Gebundenheit an den Herrn, ihre Freude ist ihre Verbundenheit mit dem Herrn. Je fester und unlösbarer er sie an sich bindet, desto ungebundener freut sie sich in ihrer Freude; aber die geringste Lockerung ihrer Bande verengt ihre Freude. Ihr ist um so wohler, je fester der Bräutigam sie an sein Herz drückt. Seitdem er sie durch seine Berührung mit Geist von seinem Geist gesalbt hat, weiß sie, daß von dem Freudenöl, mit dem Gott ihn ge- Hebr. 1, 9 salbt hat, immer mehr auf sie übergeflossen ist, und nun fließt ihr Herz an seinem Herzen von seiner Freude über.

Von dieser Freude der wahren Einfalt ist nicht viel zu reden; sie ist zu innerlich, als daß sie mit Worten äußerlich beschrieben werden könnte. Ebenso wie die Stille der Einfalt wird sie nur von denen begriffen, die in ihr leben. Es kann nur gesagt werden, daß diese Freude wie auch die Stille drei Stufen der Tiefe hat, auf denen Gott die Einfältigen zu sich ins Verborgene führt, wo die eine ewige Freude wohnt.

Die erste Stufe der Freude bezeichnet eigentlich nur eine Vorfreude. Es ist die so oft genannte »Freude *am* Herrn«, von der eben nur im Alten Testament die Rede ist. Es ist Neh. 8, 10 die Erweckungsfreude der großen Menge, die durch das Anhören der Worte aus dem Gesetzbuch bis zu Bußtränen schwach geworden ist und nun durch die Freude am Herrn wieder gestärkt werden soll. Es ist die gottesdienstliche Festfreude, die sich gewöhnlich mit dem sättigt, was die äußeren Sinne wahrnehmen. So kann man sich auch an der bildhaften Vorstellung vom lehrenden, heilenden, gekreuzigten, auferstandenen, auffahrenden, erhöhten und wiederkommenden Christus erfreuen. Tatsächlich ist diese wohlmeinende Andachtsfreude, die den Herrn aus anbetender Ferne verehrt, die allgemeine Freude und einzige geistliche Stärke der Menge der Gläubigen. Auch viel schlichte Einfalt, die noch im Vorhof kniet, hat zunächst nur diese erste Freude, deren neutestamentlicher Inhalt ist: Christus für uns!

Die reichere Freude ist die Freude im Heiligtum, zu der Paulus mit den Worten auffordert: »Freuet euch *in* dem Herrn allewege, und abermals sage ich: Freuet euch!« Das ist die Heilsfreude der Erlösten innerhalb des vollbrachten Erlösungswerkes Christi. Ihr Jubelton heißt: In Christus erwählt vor Grundlegung der Welt, in Christus errettet am Tage von Golgatha, in Christus gesegnet in Ewigkeit! Ihr köstlichster Schatz ist die Heilsgewißheit, ihr rühmlichster Besitz der Besitz von Gnadengaben, ihr liebstes Tun der äußere Dienst für den Herrn. Es ist die Lern- und Lehrfreude am Wort, die Dienst- und Tatfreude am Werk und die Freude der Gemeinschaft untereinander im Herrn. Es ist auch die Glaubens-, Bekenntnis-, Kampfes- und Hoffnungsfreude, die der Heilige Geist stets wieder neu wirkt, und durch die er die Einzelseele und die Gesamtschar erquickt. Ja, es ist auch die Gebetsfreude, die nicht genug rühmen und danken kann für das, was der Glaube in Christus alles hat; denn der reichste Ausklang dieser Freude auf der zweiten Stufe ist die Dankesfreude, und die erhabenste Tat dieser Freude ist die Anbetung Gottes und Christi im Geist und in der Wahrheit zu seinem Lobpreis im Heiligtum. Viel Einfalt, die weiß, daß ihre Namen im Himmel angeschrieben stehen, freut sich in dieser Freude ihres Gottes und Heilandes, und jeder rechte Hirte und Lehrer erweist sich als Gehilfe dieser Freude, damit die in der Wahrheit wandelnde Schar wiederum seine Freude werde.

Phil. 4, 4

2. Kor. 1, 24;
1. Joh. 1, 4
Phil. 4, 1;
1. Thess. 2,
19. 20; 3. Joh. 4

Der heiligen Einfalt ist darüber hinaus noch eine reinere und beständigere Freude verheißen als diese oft getrübte, oft schwankende Freude *im* Herrn, die eigentlich mehr in die Breite als in die Tiefe geht. Diese tiefer und höher reichende, stillere und seltenere Freude ist des *Herrn* Freude in *uns*. Sie ist die Freude im Allerheiligsten.

Der Herr wußte, daß die Seinen mit der Freude *an* ihm, die sie in sich trugen, nicht auskommen würden, ebensowenig wie der Friede genügen konnte, den sie bereits besaßen. Beides, Freude und Friede der Seinen, ging ja schauerlich in die Brüche, als der Hirte geschlagen und die Herde zerstreut wurde. Nach dieser notwendigen Erschütterung aber sollten sie Friede und Freude *im* Auferstandenen haben, wie sie beides vorher nie besessen hatten. Noch völliger wurde den Jüngern beides zuteil an »jenem Tage«, da sie Christus im Vater und sich in Christus und Christus in sich erkannten, am Tage der Pfingsten. Seit diesem Tag vermag jeder Geistgetaufte Friede und Freude im Herrn zu haben; seit diesem Tag soll sich aber auch das noch Größere verwirklichen: des Herrn eigener Friede und eigene Freude sollen in den Seinen sein. »*Meinen* Frieden gebe ich euch.« Erst der Heilige Geist brachte völlig diese Gabe. Und: »Solches rede ich zu euch, damit *meine* Freude in euch bleibe und eure Freude vollkommen werde.« Besonders gehört noch hieher die hohepriesterliche Bitte: »Nun aber komme ich zu dir und rede solches in der Welt, auf daß sie in sich haben meine Freude vollkommen.« Also ist auch die reichste Freude *im* Herrn, wenn sie nicht vollkommen gemacht wird durch des *Herrn* Freude in *uns*, nur unvollkommene Freude.

Es ist aber für einen gläubig gewordenen Menschen immer leichter, sich *in* Christus zu sehen, als Christus in *sich* zu erkennen. Wahrlich, die meisten Gläubigen wagen

Joh. 16, 33;
Luk. 24, 36. 52

Joh. 14, 20

Joh. 14, 27

Joh. 15, 11

Joh. 17, 13

es gar nicht, ernstlich damit zu rechnen, daß Christus durch den Heiligen Geist wirklich in ihnen wohne! Ihr Glaube ist noch so sinnenfällig, so sehr an das Sichtbare und Spürbare, Denkbare und Selbstische gebunden und so wenig von Wort und Geist erfüllt, daß es ihnen eine Ungeheuerlichkeit scheint, Christi eigene Freude als ihre Freude anzunehmen. Ebensowenig vermögen sie zu glauben, daß Christi eigener Glaube, eigene Liebe, eigener Friede, eigene Kraft, also Christi eigenes Leben ihnen tatsächlich wesenhaft und wirklich zu eigen sein soll. Man redet wohl von alledem als von »wichtigen und köstlichen Wahrheiten«; aber man wagt nicht, sie im Glauben zu leben: Die Einfalt fehlt!

Darum kommt nur die lauter ausreifende Einfalt zu diesem seltenen Glaubensbesitz: Christi Freude – meine Freude in mir! Und eben diese ist die Freude, die sich nicht mehr beschreiben läßt. Man kann nur sagen: sie ist eine ganz unverständliche, unvernünftige Freude, weil sie die Freude an alledem ist, was das Menschenherz sonst nicht erfreut. Was war denn Christi Freude auf Erden? Wohl war sie gut begreifliche Retterfreude: die himmlische Freude über den gefundenen Groschen, das heimgetragene Schaf, den heimkehrenden Sohn; aber eben als Retterfreude war sie Leidensfreude sondergleichen, wie sie nie zuvor in eines Menschen Herz gewesen war. Es war die widernatürliche Freude an einer Selbstentleerung, Selbsterniedrigung, Selbstaufopferung beispielloser Art. Es war die Freude des Gottessohnes am Knechtsdienst, in ureiniger Sanftmut und Demut getan an siechen und sündigen Menschen. Es war Christi Jesu Freude an Armut, Verkennung, Unehre, Schmach, Verhöhnung, Hebr. 12, 2 Verwerfung und der Erduldung des Kreuzestodes.

Eben diese seine sonst ganz unerfindliche Leidensfreude sollen die Seinen vollkommen in sich haben; denn ohne

diese Leidensfreude vermag ihm niemand ins Allerhei-
ligste nachzufolgen. Gerade diese willig das Kreuz er-
duldende Leidensfreude hat nur die ganz ihrem Meister
zugewandte lautere Einfalt. Nur sie vermag, mit ihres
Herrn Freude im Herzen, sich tatsächlich »allezeit« zu
freuen. Sie bleibt freudig, wenn alles verkehrt geht, 1. Thess. 5, 16
wenn scheinbar kein Gebet erhört wird, keine Arbeit
fruchtet, kein Licht mehr leuchtet, keine Liebe von
außen mehr wärmt, keine Tür sich mehr öffnet, keine
Leibeskraft mehr da ist und keine Mittel mehr vorhanden sind. Sie allein achtet es für lauter Freude, wenn
sie in mancherlei Anfechtungen fällt. Sie allein ist ge- Jak. 1, 2
übt, sich jeglicher Züchtigung zu freuen. Sie allein Hebr. 12, 11
hüpft vor Freude, wenn sie um des Menschensohnes
willen geschmäht und verlästert wird. Sie allein freut Luk. 6, 23
sich, wenn sie schwach ist, andere aber stark sind. Ja, sie 2. Kor. 13, 9
allein freut sich, zugunsten anderer leiden und dulden
zu dürfen. Sie allein vermag sich sogar noch zu freuen, Kol. 1, 24
wenn Christus heuchlerisch verkündigt wird, und das Phil. 1, 18
alles, weil Christi Freude als Leidensfreude in ihr ist,
die sie befähigt, in der Gemeinschaft seiner Leiden zu Phil. 3, 10
leben.

Darum hat allein die heilige Einfalt auch die rechte Herr-
lichkeitsfreude; denn nur sie hat die rechte freudige Zuversicht auf die Ankunft Christi am Tage des Gerichts 1. Joh. 2, 28; 4, 17
und weiß mit Freuden, daß sie in dem Maße, wie sie hier
teilnimmt an den Leiden des Christus, sich auch freuen
wird mit Frohlocken bei der Offenbarung seiner Herrlich- 1. Petr. 4, 13
keit, wo sie ihn sehen wird mit unaussprechlicher und
verherrlichter Freude. 1. Petr. 1, 8

Herr, mache mich in Einfalt vollkommen freudig in Deiner Freude! Ich weiß, daß Du das nur kannst, indem Du
mich von jeder Freude an mir selbst, am Geschaffenen
und an den Geschöpfen entleerst, und ich weiß auch,

daß diese Entleerung nur durch Kreuz und Leiden in der Leidensgemeinschaft mit Dir vollzogen werden kann. Wirke sie, Herr, in der Kraft Deiner Freude in mir! Hier bin ich!

37.

DIE TRAUER DER EINFALT

Zum Gefolge der Leidensfreude gehört die *Traurigkeit* der heiligen Einfalt.

Die Freude einer Einfaltsseele schließt die Traurigkeit nicht aus, sondern bezieht sie in sich ein; das Bleibende aber ist die Freude. Paulus schrieb nicht: »... als die Fröhlichen und doch allezeit traurig«, sondern: »als die Traurigen, aber allezeit fröhlich.« Wahrscheinlich wollte er damit ausdrücken: Wir könnten wohl als »trübselig« gelten; aber in Wirklichkeit sind wir immer fröhlich. So ist es: die reine Einfalt ist und bleibt heilige Fröhlichkeit. Was sollte Freude auf Erden sein, wenn nicht ihre unverwüstliche himmlische Freude: die ewige Freude Gottes und Christi in einem erlösten Menschenherzen? Eben weil diese Freude so durch und durch und unverlierbar himmlisch und so ganz und gar übernatürlich und übermenschlich ist, so strahlt ihr Angesicht wohl, wenn es zum Himmel aufschaut; aber wenn es sich Mensch und Erde zuwendet, taucht es ein in den Schatten der Betrübnis und Traurigkeit. Wohl bleiben die Fenster des Herzens immer erleuchtet vom Festglanz der im Herzen wohnenden lichten Gottes- und Christusfreude; aber das Antlitz des Einfaltskindes ist oft dunkel und düster wie ein Haus, dessen Läden fest verschlossen sind, damit die festliche

2. Kor. 6, 10

Freudenhelle im Innern sich nicht jedem auf der Straße verrate. So ist die Traurigkeit der Einfalt oft genug nur der Schleier, den der Geist zeitweise über ihre im Verborgenen überschwengliche Freude breitet. Es gibt aber auch eine Traurigkeit der Einfalt, die mehr als Hülle ist, eine Traurigkeit, die die Freude der himmlischen Einfalt nahezu immer auf Erden begleitet, ihr nicht selten unheimlich den Weg vertritt oder sie zuweilen sogar verfolgt.

Diese Traurigkeit ist zunächst die heilige Betrübnis der Einfalt über die ohne Gott lebende Menschenwelt. Wie könnte die heilige Einfalt Christi Leidensfreude im Herzen haben, ohne Leid über die christuslose Welt zu tragen? Ach, nur die Einfalt selber weiß, wie tief die Schatten dieser Trauer über die Welt in ihre Seele hinabreichen; denn nur ihr lichtes Einfaltsauge sieht ja die Nacht des Unglaubens recht, in der die Zwiespältigen in ihrer Irrsal und Mühsal vom Vater der Lüge umgetrieben werden. Sie nur hat die Heiligkeit Gottes ermessen, und deshalb hat auch nur sie die Abscheulichkeit der Sünde ermessen. Sie nur hat Christus als die freimachende Wahrheit wirklich erlebt, und darum bebt ihr Herz um so wehmütiger, je mehr sie die Menschen unter der betrüglichen Knechtschaft der Sünde und des Verderbens dahingehen sieht. Sie nur hat die selbstweise, selbstgerechte, selbstherrliche Ichgröße des Menschen, in der er wider Gott und den Nächsten streitet, klar als die Ursache alles Unheils auf Erden erkannt und muß nun auf Schritt und Tritt mit trauerndem Schmerz sehen, wie dieses verdrehte und verkehrte Geschlecht bewußt und unbewußt in seinem vielgestaltigen, vielgeschäftigen Dünkel sich bläht, gefällt, belügt, bekriegt, betört und verderbt. Nur die Einfalt hat das teuflische Getriebe und Gewirre der Ehrsucht, Habsucht und Genußsucht, worin die verblendete Menschenwelt im Argen liegt, völlig durchschaut, und nur sie beobachtet mit nüchternem Geist und mit drückendem Weh, wie die Verwirrung der Menschen ins Grenzenlose steigt. Nur sie kennt Gott als das verzehrende Feuer, das in nahegekommenen Zorngerichten die Unbußfertigen befallen und ergreifen wird. Da sie nun sieht, wie diese in Sünden berauschte, taumelnde, verkommene Menschheit reif wird, in die Hände des lebendigen Gottes zu fallen, soll das Auge der Einfalt nicht tränen vor Herzensbetrübnis, Trauer und Weh? Wahrlich, der ihr seine Freude gegeben hat, der hat ihr auch seine Tränen gegeben!

Doch noch bitterer trauert die Einfalt über die Schar auf Erden, die sich gläubig nennt. Ach, der einzige Unterschied zwischen dem größten Teil dieser Schar und der Menge der Weltleute ist nur der, daß man zu sogenannten Gottesdiensten und Versammlungen läuft, wo man Gottes Wort hört, singt, betet, auch daheim liest, singt, betet, aber sonst in der gleichen selbstsüchtigen Ichverliebtheit und im vielfältigen Zwiespalt mit Gott hinlebt wie die Ungläubigen auch. Ganz wie die Welt liebt man Ehre, Geld, Genuß, verherrlicht man das Große, das Glänzende, das Auffallende, das Reiche, das Hochstehende, das Gebildete, das Wissenschaftliche und verachtet und verschmäht man das Kleine, Nichtige, Unscheinbare, Arme, Niedrige, Unmündige, Einfältige. Streber voll giftigen Neides wollen Aufsehen erregen mit ihren Gaben, Ehrgeizige wollen etwas Großes werden »im Reiche Gottes«, herrschsüchtige Machthaber wollen ihren Stab über die Herde recken, rechthaberische Eiferer wollen Anhänger für ihre Sonderlehren gewinnen, unternehmende Polterer wollen menschenreiche Veranstaltungen zustande bringen. Alles will das, was in die Augen springt und in den Ohren klingt. Man lebt von Zahlen und vom Erfolg und von dem, was irgendwie der Ichgröße schmeichelt.

Hebr. 12, 29

So verleumdet man sich gegenseitig oder verherrlicht man sich auf Gegenrechnung. Überall blüht die geläufige, zwiespältige Menschenmache, und wie selten begegnet man dem stillen, bescheidenen, wahrhaftigen, friedlichen, freudigen Einfaltschristentum! Bei den Führern kommt es nur noch als Ausnahme vor, bei der abgöttisch betörten, von jedem Schwätzer hingerissenen, von jedem Wind der Lehre bewegten, rennenden und laufenden Menge wird es immer unmöglicher, und nur noch bei den wirklich »Stillen im Lande« lebt es im Verborgenen fort. Ach, wie vereinzelt ist die ganze ehrliche Abkehr von der Sinnen-, Menschen- und Ichwelt und die bedingungslose Hinkehr zu Gott in Christus und die lautere Einkehr ins verborgene Leben der Stille beim Herrn, wie allgemein ist der geräuschvolle fromme Tumult, der doch keine Seele zu stillen und keinen Geist mit des Herrn Geist zu einen vermag! Wie lebt man ichselig dahin, betrogen von Kirchen- und Versammlungsordnungen, Lehrsystemen und Heiligungsmethoden, in denen man das Leben zu haben wähnt, und weiß nicht, daß man tot ist im zwiespältigen Eigenleben, das man nie erkannt und nie in Einfalt preisgegeben hat! O, daß man durch den Geist sich ermutigen ließe zur lebendigen, segensreichen, fruchtbaren Einfalt!
Die tiefste Trauer der heiligen Einfalt ist jedoch die stete Betrübnis über das eigene Ich. Je inniger sie wird, desto sicherer lernt sie unterscheiden zwischen dem, was aus dem Geist und der Gnade, und dem, was aus dem Fleisch und der Natur ist. Dabei wird sie immer besser befähigt, auch die feinsten Regungen der Selbstsucht in Gedanken, Gemütsbewegungen, Gebärden, Worten und Handlungen als solche zu erkennen und den guten Kampf des Glaubens gegen sie zu eröffnen, um sie durch den Geist zu töten; aber gerade hierbei wird sie immer wieder göttlich neu betrübt über die abgrundtiefe Verdorbenheit der an-

geborenen Natur, nämlich über die zahllosen Wurzelfasern
der Selbstsucht, die den Naturgrund durchziehen und stets
in das Gebiet des Geistes hineinwuchern möchten. Daher
wird sich ihr geistliches Mißtrauen gegen das eigene Ich
zu immer strengerer Wachsamkeit steigern und sich auf
die Beobachtung der scheinbar harmlosesten Lebensvorgänge erstrecken. Jeder Gedanke, jede Gemütsbewegung,
jede Gebärde, jeder Laut, jedes Wort, jede Handlung
werden vom Geist auf ihren Beweggrund hin geprüft, ob
sie wirklich lauter der Einfalt gegen Christus entsprungen
sind und ihr zugehören, oder ob das gerieben und durchtrieben selbstsüchtige, betrügerische Ich sein geheimes
Wesen darin treibt. Bei dieser immer strenger werdenden
Beaufsichtigung aller Lebensvorgänge durch den in ihr
wohnenden Christus wird die echte Einfalt von Demütigung zu Demütigung geführt, so daß ihre Betrübnis über
die noch immer so reichlichen Äußerungen des Fleisches
sie als stete Trauer über das eigene Ich auf Schritt und
Tritt begleitet und sie heilsam vor jedem Rückfall in Selbst-
sicherheit und Selbstgenüge bewahren hilft. Nur so bleibt
auch ihre geistliche Freude allezeit in ihr behütet vor Vermischung mit fleischlicher Ausgelassenheit in selbstischem
Übermut und vor jeder Lust zu irgendwelcher Überhe-
bung.
Herr, hab Dank für diese dreifache Traurigkeit der heiligen Einfalt! Hab Dank, daß das lichte Einfaltsauge zu
seiner Demütigung und Schärfung in diese drei Schatten-
kreise eintauchen muß, und hab Dank, daß seine Tränen
das Herz der Einfalt für Dich befruchten dürfen!

38.

DIE TRÜBSAL DER EINFALT

Die tiefere Zerstörung der Eigenliebe und Eitelkeit der Natur gelingt nur in der *Trübsal* der heiligen Einfalt. Jedes Leben, dem die einfältige Überlassung an Gott in Christus mangelt, empfindet die Trübsal als eine Beeinträchtigung und Bedrohung, die es abzuschwächen oder der es ganz zu entgehen sucht. Gelingt beides nicht, so nimmt es die Trübsal hin als ein schweres Muß, das es murrend oder stumpfsinnig über sich ergehen läßt. Oft will sich die Eigenliebe der Trübsal auch gewachsen zeigen und spricht in selbstgefälliger Ergebung: Ohne Klage will ich die Trübsal erdulden! oder will man der Trübsal gar als Held begegnen, der selbstherrlich rühmt: Ich kann mit ihr fertig werden! Allein die heilige Einfalt kann ehrlich dankbar sagen: Ich *darf* Trübsal erleiden!

Ihr wird die Trübsal nicht nur annehmbar, sondern sogar begehrenswert, ja oft noch begehrenswerter als die Labsal; denn sie verdankt der Trübsal mehr als der Labsal. Wo wäre sie zur Enthaltsamkeit, Geduld, Tapferkeit, Gelassenheit, Sanftmut und Demut gelangt, wäre sie nicht in die drangvolle Enge der Trübsal gekommen, hätte sie nicht jede Drangsal mehr aus der eitlen Ichliebe hinaus und stärker zu Jesus hingetrieben? Und wenn er sie danach mit Labsal erquickte, so war das nur die Bezeugung: Wieder ein Stück zwiespältiger Eitelkeit überwunden und ein ewig Teil Herrlichkeit in Einfalt gefunden! Darum wünscht sich die lautere Einfalt gar kein anderes Leben mehr als das Leben in der befreienden Drangsal und lichtbringenden Trübsal.

Dieses Leben wird ihr am treuesten geschenkt als tägliches Kreuz. Sie allein kann gelassen am Morgen beten:

»Herr, aus Deinen Händen nehm' ich diesen Tag;
Herr, in Deine Hände leg' ich, was er bringen mag!«

1. Petr. 4, 1   Mit Christi Leidenssinn gewappnet, trifft sie kein Geschehnis des Tages ungerüstet.

Mit Christi Leidenssinn gewappnet, trifft sie kein Geschehnis des Tages ungerüstet. Jeden Tag will sie nichts anderes, als ihr eigenes Leben noch mehr verlieren und Christi Leben noch mehr gewinnen. Dazu ist ihr jedes Kreuz, das der Tag bringt, gerade recht. Sie nimmt es nie aus der Menschen Hand, sondern nur aus Gottes Hand. Alles, was sie erlebt, erlebt sie in Christus. Das eigene Ich auszuschalten, sich in Christus und Christus in sich zu wissen, ist ihre sekundliche, wachsam betende, glaubenstätige Einfaltsübung, die ihr mit dem Tragen des sanften Joches und der leichten Last Christi Jesu gleichbedeutend ist. So geht sie frei und froh; denn sie weiß, daß nur die dumme ichtrotzige Auflehnung gegen das Joch und die Last des Herrn das eine rauh und die andere schwer macht. Und welches Joch und welche Last der Tag auch immer bringen mag, sie nimmt alles nur von Jesus und trägt es als sein Joch und seine Last durch ihn und für ihn mit immer reichlicherer geistlicher Einsicht, mit immer entschiedenerer Selbstverleugnung, mit immer gelassenerer Einfaltsstille und stärkerer Einfaltsfreude. So folgt sie unter täglichem innerem und äußerem Kreuz dem Meister nach in seinen Fußstapfen und kann für jeden Tag nur danken.

Eindringlichere Trübsal wird der heiligen Einfalt zuteil durch Zeiten oder Umstände voll besonderer Versuchungen. Die täglichen kleineren oder größeren Durchkreuzungen des Eigenwillens oder Störungen des geistlichen Gleichgewichtes würden als Gelegenheiten zur Einfaltsübung nicht genügen; es bedarf der Erprobung durch gehörige Erschütterungen. Dazu sind die Versuchungen da, und die

Einfalt freut sich nur, wenn sie in recht mannigfache hineingerät. Sie nimmt auch jede Versuchung nur von Gott an, auch die Versuchungen zum Bösen durch Satan, weiß sie doch, daß Satan nicht mehr kann, als er darf, und daß Gott sie auch durch den Bösen nur zum Guten versuchen läßt. Ihre einzige Sorge in der Versuchung ist, sorglos und furchtlos in Christus zu bleiben, der ja als der Größere in ihr ist. In der einfältigen Glaubensgewißheit: Ich bin in Christus, und Christus ist in mir! erduldet sie jede Bedrängnis, und jede Trübung innerlicher und äußerlicher Art, durchsteht und besteht sie durch *den*, der ihr Schutz und ihre Kraft ist: Der Teufel muß fliehen, und sie ist selig.

Jak. 1, 2

1. Joh. 4, 4

Jak. 4, 7; 1, 12

Viel Trübsal kann die wahre Einfalt auch erleiden müssen durch körperliche Schwachheit und Krankheit. Gegen Sünde und Satan in bunten Versuchungen obsiegen, ist oft geradezu eine geistliche Freude. Da weiß man immer spürbar, daß man auf Gottes Seite steht, und das stärkt die Tapferkeit der Einfalt. Aber schwach oder krank darniederliegen, kann zuweilen eine recht tief eingreifende Erprobung der Einfalt bedeuten, besonders wenn, wie bei Nervenleiden, dämonische Versuchungen mitwirken, die der Einfalt außerordentlich hart zusetzen können. Da bedarf es nicht selten eines gewaltsamen Durchbruches zur Einfalt, der darin besteht, daß die gequälte Einfaltsseele allen Schmerzen, aller Schwachheit und allen satanischen Einflüsterungen zum Trotz einfach anfängt zu loben und zu preisen und zu danken und über alles zwiespältige Fühlen und Denken hinaus sich auf den Boden der göttlichen Verheißungen für den Leib stellt, bis die Verbindung mit dem Lebensfürsten und großen Arzt wiedergewonnen ist und sein Friede die Seele und die Kraft seiner Auferstehung den Leib durchströmt. Hier ist Glaube und Geduld der Einfältigen!

Noch schmerzlicher ist die Trübsal, die Gott der Einfalt durch falsche Brüder und Schwestern bereiten läßt. Verkennung, Verdächtigung, Verleumdung, Verachtung dürfen über Haupt und Herz der Einfalt hinfahren, um ihr die Unzulänglichkeit der Geschöpfe aufs niederschlagendste und bitterste zu spüren und zu schmecken zu geben. Dazu können noch kommen Verlästerungen und Verfolgungen durch die eigentlichen Feinde des Glaubens. Durch nichts wird die Einfalt so auf Christus geworfen wie durch die Drangsal solcher Verleumdungen und Verfolgungen; denn gerade da wird der Geist der Herrlichkeit und Kraft, der als Geist Gottes auf ihr ruht, durch sie gepriesen. Er allein ist Richter und Rächer.

Am empfindlichsten wird die heilige Einfalt durch *die* Trübsal berührt, die sie als Entziehung der inneren Gegenwart Christi und Gottes erleiden muß. Da gibt Gott die Einfalt scheinbar preis, läßt sie hinuntergleiten in schauerliche Tiefen der Finsternis, beraubt sie jedes Lichtes, jedes Haltes, jedes Trostes, läßt sie hungern, dürsten, schmachten in öder Dürre, gibt ihren Sinnen die Bitterkeit des Todes zu kosten, läßt ihren Geist bis zur Verzweiflung verarmen und ihre Seele über Abgründe des Verderbens schweben, und das alles nur, um ihr zu zeigen, was sie ist ohne ihn, bis sie einfältig spricht:

Dank, Du allein Weiser und allein Heiliger! Und wenn Du mich in die Hölle stürzest: Dank, daß mich Dein Erbarmen so lange getragen hat! Aber Du lässest mich nicht stürzen, und ich kann Dich nicht lassen, darum will ich mich rühmen der Trübsale, durch die Du meine Eigenliebe zerstörst, und will mich freuen unter der vorübergehenden leichten Last meiner Drangsal, die in unendlich überschwenglicher Weise eine ewig gewichtige Herrlichkeit schafft, mir, der ich nicht blicke auf das Sichtbare, sondern auf das noch Unsichtbare; denn das Sichtbare

Phil. 1, 16;
2. Tim. 4, 14 - 16
1. Kor. 4, 10 - 13;
2. Kor. 4, 8 - 9;
6, 4; 11, 23 - 27;
Phil. 1, 16;
2. Thess. 1, 4 - 7

1. Petr. 4, 14

Röm. 5, 3

währt eine Weile, aber das noch Unsichtbare ist ewig. Laß 2. Kor. 4, 17. 18
mich durch meine Trübsal hindurch zur Klarheit Deines
Angesichtes gelangen, Du Ewiger!

39.

DIE FÜHRUNG DER EINFALT

Des Herrn heimliche Unterweisungen und stille Übereinkünfte mit der einfältigen Seele in ihrer Trübsal und Labsal bewirken die *Führung* der heiligen Einfalt.
Das lichte Einfaltsauge hat unverlierbar etwas still Hin-
sinnendes im Blick. Es ruht allezeit auf den wunderbaren
Wegen der Vergangenheit, auf denen der Herr seine große
Treue bewiesen hat; denn des Einfaltsauges Schauen geht
immerdar viel mehr rückwärts als vorwärts. Die Zukunft
überläßt es dem Gottesauge, vor dem auch die Finsternis
Licht ist; doch gerade aus der Vergangenheit strahlt uns
des Herrn Klarheit an.
Kein größeres Wunder gibt es für die einfältige Seele auf
Erden und im Himmel als ihre göttliche Berufung und Erwählung. Je mehr sie ihren inneren und äußeren Lebensgang zu überschauen vermag, desto erstaunlicher wird
dies Wunder vor ihren Augen. Es fällt ihr immer deutlicher ein und immer merkwürdiger auf, wie Gott sie von
ihrer Kindheit an für sich abgesondert hat. Sie hat stets
mehr nach innen als nach außen leben müssen. Die Vielfältigkeit der äußeren Lebenserscheinungen hat sie nie
ganz hinzunehmen vermocht. Alle Mannigfaltigkeit, die
ihr begegnete, hat sie immer wieder auf das Eine, nämlich auf Gott beziehen müssen. Nie hat sie unter dem Ein-
druck gelebt, als ob ihre äußeren Lebensverhältnisse irgendwie das Entscheidende für ihr Dasein wären. Unbe-

wußt oder bewußt hat sie es eigentlich immer nur mit Gott zu tun gehabt, und immer klarer ist es ihr dabei geworden, daß Gott es auf das allerbestimmteste mit ihr zu tun hat. Ja, es wurde ihr immer mehr zur festen Überzeugung, er habe es auf der ganzen Welt ausschließlich nur mit ihr zu tun. Das gab ihr von früh an einen wundersamen Zug zum Alleinsein, der sie nach innen lockte, achtzuhaben auf sich selbst. Es war ihr allezeit, als habe sie einen heiligen Schatz in ihrem Innersten zu hüten, den sie nie preisgeben, nie verlieren dürfe. Ja, es war ihr, als habe sie unweigerlich auf eine Stimme in sich zu lauschen, die ihren Lebensgang lenken wolle und der sie unmittelbar treu bleiben müsse. Dies ganz bestimmte Erleben war die Vorbereitung zum Empfang der himmlischen Einfalt.

Dann brachte ihr das Licht des Wortes Gottes die notwendig gewordene Klarheit über ihr eigenes Wesen. Unverzüglich erkannte sie Christus als den Herrn ihres Lebens, dem sie sich rückhaltlos ergab. Seitdem weiß sie sich in ihm erwählt und in ihrer Zugehörigkeit zu ihm versiegelt durch den Heiligen Geist, und seitdem ist in ihr die eigentliche geistliche Einfalt geboren, die unaufhörlich spricht: Ich gehöre ihm und will nichts mehr wissen als ihn allein! Da ward der Geist Gottes als Geist Christi durch den Heiligen Geist der vertraute Führer in ihrem Innern. Nie mehr brauchte sie in der Finsternis zu wandeln; denn das Licht des Lebens leuchtete in ihr. Nie mehr konnte sie dem Geist des Irrtums erliegen; denn die Salbung mit dem Geist der Wahrheit war an ihr geschehen. Wie unbeschreiblich innig, wie beinah unmerklich zart und doch wie unbedingt sicher weiß sie sich seitdem geführt!

Es war auch immer dieselbe Art der Führung. Erst kam die stille Unterweisung zur Erprobung des Gehorsams:

Joh. 8, 12

Joh. 15, 26;
1. Joh. 2, 27; 4, 6

wurde sie einfältig befolgt, so fehlte es nie an Licht und Segen; wurde sie aber verzögert, so folgte stets eine Entziehung des Lichts und der Kraft und eine peinliche Überlassung ans eigene, ungehorsam gewesene, unergiebige Wesen. Entweder überlassen wir dem Herrn unser Herz, oder der Herr überläßt uns unserem Herzen; aber jede demütige Rückkehr zur Einfalt wird sofort belohnt mit zärtlichen Beweisen seiner Güte und Treue. Dieser erneuten Selbstentäußerung entsprach auch stets der Wendepunkt in jeder Trübsal. Der Zweck unserer Führung bleibt ja immer nur die Loslösung von der eigenwilligen Ichliebe. Dabei geht es durch heilige Lichtsgebiete und durch ebenso heilige Finsternisse, durch Schwachheit im Herrn und durch Stärke im Herrn, bis der Einfaltsseele Licht wird wie Finsternis (denn sie wartet auf mehr Licht), und Finsternis wie Licht (denn der Herr bleibt ihr Licht auch in der dicksten Finsternis), und Schwachheit wie Kraft (denn der Herr ist auch ihre Kraft zur Schwachheit), und Stärke wie Unvermögen (denn wenn sie in seiner Stärke alles wohl ausgerichtet hat, spricht sie: Ich bin ein unnützer Knecht). Nur muß die Seele bei allem diesem Wechsel eben ungeschmälert in der lauteren, reinen Einfalt ruhen.

2. Kor. 12, 10; 13, 4; Eph. 6, 10

Luk. 17, 10

Die innigste Achtsamkeit muß die heilige Einfalt jedoch darauf verwenden, aus ihrer inneren und äußeren Führung zu erkennen, für welche besondere Lebensaufgabe sie eigentlich bestimmt ist. Da muß die Seele fleißig Auskunft vom Meister erbitten: »Herr, was willst du, das *ich* tun soll?« und ganz fein aufmerksam lernen, welche Gaben er in ihr zur Entfaltung bringen, welche Lebensverbindungen er knüpfen oder lösen will, welche Türen er öffnet oder schließt, welche Wege er bahnt oder verzäunt. Nur die Einfalt geht hier nie fehl. Sie allein bleibt bewahrt vor der Verführung durch Ehrkitzel, Geldkitzel,

Apg. 9, 6

Genußkitzel. Nur ihr ist der unentbehrliche Prüfgeist verliehen, herauszufühlen, was des Herrn Wille und Weg ist oder nicht, welche Menschen zu ihr passen und zu welchen sie paßt, welche Arbeit sie wählen oder lassen soll. Je reiner ihre Einfalt gegen Christus ist, desto gewisser weiß die Seele ihren Weg, und es ist stets nur Mangel an Einfalt, wenn Gläubige sich auf falschem Geleise befinden oder in Sackgassen geraten sind. Eigen- oder Menschenwille hat die heilige Einfalt gehindert oder gar zerstört, und nur Rückkehr oder Hinkehr zur Einfalt gegen Christus bringt die Befreiung und des Herrn Segen; denn des Herrn Segen kann nur sein auf des Herrn Wegen. Eigenwillige Wege triefen höchstens vom Fett räuberischer Brandopfer, die den Ungehorsam beschönigen sollen, aber nie vom Segen geistlicher Güter aus himmlischen Örtern. Christus selber ist der Weg der Einfalt allezeit und in allen Dingen. Die Einfalt hört auf seine Stimme, achtet auf den zartesten Druck seiner Hand, sieht auf seine Fußstapfen und kommt auf bereits gebahntem Wege sicher ans Ziel.

Herr, Du führst niemanden in die Irre. Wieviel Dank gebührt Deiner geduldigen, untrüglichen Hirtentreue! Die Eigenwilligen und Selbstklugen verschmähen Dich als Weg und Führer; aber die Unmündigen und Einfältigen können ohne Dich nicht gehen, nicht einen Schritt. Freude ist über ihrem Haupt, und Kummer und Seufzer fliehen die Einfältigen, die Dich als verläßlichen Weg haben, auf dem keines von ihnen irrt. Herr, mache es ganz wahr, daß auch ich nicht einen Schritt ohne Dich gehen kann, und sei ewig gepriesen für Dein wunderbar gnädiges Führen!

Jes. 61, 8;
1. Sam. 15, 22;
Eph. 1, 3
Joh. 14, 6

Jes. 35, 8

40.

DIE LÄUTERUNG DER EINFALT

Ihre innere und äußere Führung dient zur *Läuterung* der heiligen Einfalt. Diese hängt ganz ab von der rechten Sammlung und rechten Reinigung. In der Sammlung muß die Befreiung von jeder Verwirrung geschehen, in der Reinigung die Befreiung von jeder Befleckung.

Gerade die heilige Einfalt muß es schmerzlich erfahren, wie langsam der Mensch lernt und wie schnell er sich verirrt. Im Nu ist der betrügliche Eigenwille wieder obenauf und hat irgendwie die Führung an sich gebracht, ohne daß die Einfaltsseele es sofort merkt. Umgeben von der Vielfältigkeit des überzivilisierten und technisierten Lebens, das allezeit ablenkend, abtragend, zerstreuend, ja zerstörend wirkt, muß die Einfalt sich stets darin üben, über alles irdisch-menschliche Getriebe hinaus immer wieder den himmlisch-göttlichen Standpunkt zu gewinnen, nämlich alles wieder ansehen und beurteilen zu lernen, wie Gott es ansieht und beurteilt. Dazu ist die Sammlung nötig. Es ist die still sich zurechtfindende Selbstbesinnung der Einfalt zur Klärung jeder Trübung, zur Entwirrung jeder Lage, zum Losreißen aus jeder Verstrickung, zum Entfliehen aus jedem Betrug. Es ist die fortgesetzte Ernüchterung zu Gott inmitten des ansteckenden Rausches dieses ich- und sündentrunkenen Lebens.

Sammlung ist mehr als Wachsamkeit und Achtsamkeit. Die Wachsamkeit ist wie anstrengendes Atemholen, die Sammlung wie ein tiefes Aufseufzen und notwendiges Verschnaufen. Sie ist wie ein zusammenfassendes Anhalten, Einhalten, Einkehren; sie ist die gewichtige Pause, das göttliche »Sela« im Leben der Einfalt. Die Seele, die es versäumt, ist bereits zum Teil aus der Einfalt gewi-

chen; denn sonst hätte sie das gottgewollte, von Gott ge-
setzte Pausezeichen im Laufe ihres Tuns nicht übersehen
können. Sie ist bereits vom Ich- oder Menschenwillen
hingenommen.

Wie anders sieht doch alles von Gottes Ewigkeitsstand-
punkt gesehen aus! Da steht mit einem Ruck alles het-
zende Getriebe still. Das Eiligste hat Zeit, das Wichtigste
wird nebensächlich, das Gefahrdrohendste wird harmlos,
die Menschen werden schattenhaft klein, die eigenen Gedanken so irrig und verkehrt. Wie Staub ist alles Eitle
weggeblasen: Gott sitzt im Regimente und sonst niemand
und nichts. Da sind die Sekunden des tieferen Eintau-
chens der Einfältigen in ihre ewige Kraft. Heißer Dank
wird zum überströmenden Gebet.

Diese Entleerung von allem angesammelten Wust des Irdischen, Eitlen und Menschlichen verschafft der Einfalt
allemal eine aufgeräumte Frische des Geistes und eine
Aufhellung des inneren Lichtes, die sie auch zu tieferer
Reinigung befähigt.

Eine verspätete Sammlung zur notwendigen Einkehr kann
freilich auch einen wehen Zusammenbruch bewirken, wobei die plötzliche Einsicht in die eigene Nichtigkeit jeden
Halt rauben kann. Da meint die Seele, jede Gnadenarbeit
an ihr sei vergeblich gewesen, nie tauge sie zu einem Leben in der Einfalt, nie komme sie über Selbstsucht und
Sünde hinaus. Da erbringt die glaubenswidrige Vernunft
einen Beweis um den anderen, wie nutzlos jede weitere
Einfaltsübung sei, und weist dabei auf so viele Abwei-
chungen hin, daß die Seele ganz mutlos und entkräftet
wird. Da scheint Christi Last zentnerschwer, die geringste
Selbstentäußerung unmöglich, und das Herz gleicht nur
noch einem grausigen schwarzen Missetäterloch, aus dem
schließlich sogar Groll gegen Gott aufsteigt. Da kommen
auch düstere Zweifel an der eigenen Berufung und Er-

wählung, die unter Satans Einflüsterungen sich zuspitzen können zu jähen Selbstmordgedanken. Alle Einfalt ist in zerrissensten Zwiespalt verwandelt. Und doch sind solche Erschütterungen der Einfaltsseele nur heilsam; denn da krachen Grundpfeiler der Eigenliebe völlig zusammen, da knickt der Sturm alles, was noch auf Naturboden steht, da wird das stolze Ich noch endgültiger vernichtet. Kann die Einfalt mehr gewinnen? Gerade durch solche Zusammenbrüche wird ihre Läuterung befördert und ihre Berufung und Erwählung festgemacht. 2. Petr. 1, 10

Kein Tag sollte vergehen ohne öftere Sammlung, wo die Gedanken, Gefühle, Reden und Handlungen gewissermaßen stillestehen müssen, wie der Straßenverkehr stillgelegt wird, wenn irgendein regierendes Haupt eintrifft. Christus Jesus soll Überschau halten. Vor ihm soll sich alles entwirren, klären und ordnen, was unstimmig geworden ist. Solche Sammlung vor ihm ist mehr als Beten zu ihm. Zum Beten ist der Mund schließlich schnell fertig und bereit; stumm sich Jesu innerer Gegenwart aussetzen, ist dagegen viel schwieriger, aber auch viel fruchtbarer als gewohntes Drauflosbeten. Ist die Seele erst zu solcher Sammlung geübt, so gelingt sie zu jeder Zeit und an jedem Ort. Mitten im Großstadtleben, ja während des Gehens im dichten Straßengedränge kann ich in vollkommener Einfaltsstille in Christi Gegenwart stehen.

Die leichteste Sammlung bleibt aber die *vor* und *durch* Gottes Wort. Da sollen die Gedanken Gottes der Seele zum Stillstand und zur Läuterung ihrer eigenen Gedanken dienen. Da soll das vernunftkluge Wähnen und Meinen sterben, damit das Licht der Welt, Christus, den Gott den Seinen zur Weisheit gemacht hat, gesehen und empfangen 1. Kor. 1, 30 werden kann. Da, vor der äußeren Gegenwart Christi in seinem Wort und vor der inneren Gegenwart Christi im Herzen, soll die Entwirrung von der eigenen Weisheit ge-

145

schehen und die unfähige, gottwidrige Vernunft getötet werden. Dies kann nur geschehen in immer erneuter Einkehr, wobei sich die Seele ganz leidend, ganz hingegeben zu verhalten hat, so daß nicht mehr *sie* es ist, die wirkt, sondern Gott selber in ihr zu wirken vermag, dadurch daß er ihr seine lichten Kundgebungen und kraftvollen Lösungen schenkt.

Hand in Hand mit dieser Läuterung und Klärung der wahren Einfalt durch Sammlung, das heißt durch Befreiung von jeder Verwirrung, geht ihre Läuterung durch Reinigung, das heißt durch Befreiung von jeder Befleckung.

Wieviel Zeit braucht es doch, bis ein Mensch einen einzigen Fehler klar einsieht und dann praktisch überwindet! Die Gläubigen reden oft gar billig von Christi Blut, als ob »ein Tröpflein« davon flink »jeden Schaden« gut mache; aber die tiefeingefressenen Schäden ihrer persönlichen Art, ihr selbstsüchtiges Begehren, Neiden, Verletztsein, Hassen, niederträchtiges Lügen und Verleumden beweisen ihre Selbsttäuschung. Mag die Sünde als solche vergeben sein, aber als moralischer Schaden besteht sie eben noch weiter. Zu der Reinigung von der Sünde als *Schuld* muß die Reinigung von der Sünde als *Tat* hinzukommen. Beides gehört zusammen; denn der Zweck der Vergebung ist: Joh. 5, 14 »Sündige hinfort nicht mehr!«

Diese tatsächliche Reinigung ist nur während des Wandelns im Geist und im Lichte möglich; dies aber ist der Wandel der Einfalt, die ihr Angesicht immer stracks Jesus zugewandt hält. Nur in dem Maße, wie eine Seele in der Einfalt gegen Christus bleibt, wandelt sie im Geist und im Licht und wird sie durch den Geist im Licht ihre Befleckungen sehen, um sich davon zu reinigen. Es ist dies die Reinigung, die jede Seele *selbst* besorgen muß. Ihre Befleckungen durch den Geist im Lichte zu sehen, ist eine Erprobung ihrer Einfaltserkenntnis, und von den erkannten Befleckungen sich zu reinigen, ist eine Erprobung ihres Einfaltsgehorsams. In dem Maße, wie sie beides besorgt, vollendet die reine Einfalt ihre Heiligung in der Furcht Gottes. »Weil wir nun solche Verheißungen haben, meine Lieben, so lasset uns von aller Befleckung des Fleisches und des Geistes uns reinigen und die Heiligung vollenden in der Furcht Gottes!« Ebenso: »Und ein jeglicher, der solche Hoffnung hat zu ihm, der reinigt sich, gleichwie er auch rein ist.« Beide Apostelworte reden ohne Zweifel von der heiligenden Reinigung, also von dem tatsächlichen Aufhören mit Sündigen und nicht nur von der vergebenden Reinigung durch Christi Blut. Gemeint ist das fortgesetzte Kreuzigen, Töten und Ablegen alles dessen, was der Geist als mit der Gesinnung Christi unvereinbare Selbstsucht aufdeckt; denn ein Mensch steht stets nur so weit in der Nachfolge Christi, als er in der Selbstverleugnung steht. Alles andere ist Selbsttäuschung.

2. Kor. 7, 1

1. Joh 3, 3

Diese Reinigung wird nur der heiligen Einfalt gelingen, weil sie allein ungeteilt und unbeweglich dem Herrn anhängt und jede Vollendung ihrer Heiligung nicht mehr von ihrem Ich und von Menschen, sondern allein durch den in ihr wohnenden Christus erwartet. Er wird durch sie sein Werk in ihr auf seinen Tag vollenden. Sie hat nichts anderes zu tun, als einfältig zu bleiben. Ihr Bleiben in der Einfalt *ist* ihre Reinigung, *ist* die Vollendung ihrer Läuterung.

Phil. 1, 6;
Hebr. 12, 1. 2;
2. Kor. 3, 18;
1. Thess. 5, 23;
1. Petr. 5, 10

Herr, läutere mich durch und durch! Entreiß mich jeder Verwirrung und bleibe meine Kraft zur Reinigung von jeder Sünde! Ich kann in Einfalt nur Dir vertrauen. Du allein bist die Gewähr für meine Läuterung!

41.

DIE BESTÄNDIGKEIT DER EINFALT

Die Läuterung des einfältigen Menschen vollzieht sich in der *Beständigkeit* der heiligen Einfalt.

Beständigkeit ist ja das eigentliche Wesen der Einfalt. Alle Zwiefalt und Vielfalt ist wetterwendisch, launisch, flatterhaft, nachlässig, untreu: die Wurzelfestigkeit fehlt. »Ihr Sinn, ihr Herz ist nicht fein auf eines gerichtet allein.« Man will vieles zugleich und immer etwas Neues dazu: heute dies, morgen das. Selbst wenn man das Angesicht Jesus zugewandt hat, so will man doch nicht allezeit nur mit ihm und immer nur wieder mit ihm zu tun haben. O nein, das wird ja langweilig. Nur keine fromme Beschränktheit! Nur keine Einseitigkeit! Nur nicht einfältig werden! Das wäre ja eine schreckliche Verarmung! Das ist das Wesen der Wetterwendischen, dieser Untauglichen zum Reiche Gottes, deren Herz nie fest zu werden vermag durch Gnade. Gehört nicht die große Menge der Mitläufer dieser zwiespältigen Menschengattung an? Überall sind sie dabei, wo etwas Frommes los ist. Überall bilden sie die Hauptmasse der Zuhörer. Überall scheint es, daß sie das Wort aufnehmen mit Freuden; aber nirgends kommen sie vorwärts, nirgends bringen sie Frucht, nirgends werden sie froh: die Einfalt fehlt ihnen.

Wie anders die Einfältigen! Ihnen fällt nicht heute dies und morgen das ein. Sie leben überhaupt nicht mehr von Einfällen der eigenen Laune oder von der Willkür unbeständiger Menschen. Sie leben auch nicht mehr von Neuigkeiten, die sie aufspüren müssen oder die man ihnen zuträgt. Sie lassen sich nicht heute hierhin und morgen dorthin schleppen, um auszuprobieren, wo es ihnen »am besten gefällt«. Sie huldigen nicht mehr dieses Jahr die-

Matth. 13, 21

Luk. 9, 62
Hebr. 13, 9

sem und nächstes Jahr jenem »berühmten« Redner. Sie können ruhig auch den »bedeutendsten« Gottesmann entbehren und suchen selber weder irgendwie Beifall noch erschrecken sie davor, zu mißfallen. Am allerwenigsten beherrscht sie der Zufall.

Die heilige Einfalt hat entschieden und bleibt entschieden. Sie ist frohbewußte entschiedenste Einseitigkeit und gedenkt noch immer einseitiger zu werden. Sie ist eine von Gott gepflanzte und durchaus bodenständige Pflanze. Matth. 15, 13
Niemand kann sie versetzen oder gar ausrotten. Sie ist eingewurzelt in den Herrn Christus Jesus und wird in ihm auferbaut und befestigt im Glauben. Nichts kann sie Kol. 2, 7; Eph. 3, 17
aus Gottes und Christi Herz und Hand reißen, nichts von der Liebe Gottes in Christus Jesus scheiden. Die Gewähr Joh. 10, 28 – 30 Röm. 8, 38. 39
für ihre Beständigkeit liegt gar nicht in ihr, sondern im Wesen Gottes, und er selbst wird sie dahin bringen, daß in ihr so wenig Wechsel sein wird, wie in ihm selbst ist. Offb. 22, 3 – 5

Je siegreicher die Einfalt, desto ersichtlicher ihre Beständigkeit auch in der Gemeinschaft. Es gehört zu den erfreulichsten Aussagen des Geistes über die Pfingstgemeinde in Jerusalem, daß ihre Beständigkeit als einmütiges Beharren im Gebet, als beharrliches Festhalten an der Lehre Apg. 1, 14
der Apostel und an der Gemeinschaft, am Brechen des Brotes, an den Gebeten und als tägliches einmütiges Verharren im Heiligtum gerühmt werden kann. Besonders erfreut es zu lesen, daß, als bereits Zwiespalt in die Gemeinde gekommen war, die Zwölfe sich ganz ausschließlich dem Gebet und Dienst am Wort beharrlich widmen wollten. Mit dem weiteren Aufhören der Einfalt schwanden freilich auch Einmütigkeit und Beständigkeit rasch dahin.

Kap. 2, 42

Vers 46

Kap. 6, 4

Wahrlich, Mangel an Einfalt ist jederzeit die Ursache der Trennungen und Unbeständigkeit in der Gemeinde des Herrn gewesen! Anstatt in der unmittelbaren Einfaltsliebe Christi zu beharren, kam immer irgendwie die murrende Selbstliebe obenauf, die der einmütigen Beharrlichkeit ein Ende machte. Wie betrübend ist in dieser Beziehung das Bild der Gemeinde von heute! So viel zwiespältige Selbstsucht, so viel zwieträchtige Unbeständigkeit und Zerrissenheit!

Umsomehr muß die Einzelseele die Beständigkeit der Einfalt pflegen. Sie muß sie pflegen, erstens: als Unbeweglichkeit in der Stellung zu ihrem Herrn und zur Apostellehre, zweitens: als Beharrlichkeit in jedem Werk des Glaubens und der Liebe, drittens: als Treue im Kleinsten.

Eph. 4, 14
Luk. 16, 10

Herr, ich bitte für die vielen Wetterwendischen, die weder in Dir noch in Deinem Wort zur Wurzelfestigkeit gelangen können, auch bitte ich für Dein Volk, dem so sehr die Beharrlichkeit in der Einmütigkeit fehlt, und ich bitte für mich um die Einfaltstreue im Kleinsten.

42.

DIE FRUCHTBARKEIT DER EINFALT

Ihrer Beständigkeit entspricht die *Fruchtbarkeit* der heiligen Einfalt.

Hier könnte man sagen: Zwiefalt verzehrt, Einfalt ernährt. Es gibt nichts Ergiebigeres für Gott und Menschen auf Erden als die himmlische Einfalt; aber wegen der Seltenheit einer einfältigen Seele beachtet man deren Fruchtbarkeit kaum. Es ist ja keine Fruchtbarkeit, die auf der breiten Straße bewundert und in die irdischen Scheunen der Kultur gesammelt werden kann. Sie ist eben keine Menschenleistung als Kulturergebnis zur Förderung dieser verkommenen Kultur, sondern sie ist Gottes heim-

licher, himmlischer Segen am verborgenen Menschen des
Herzens. Sie ist allezeit Erstarkung und sicheres Gedeihen
des inwendigen Menschen durch den Heiligen Geist für
Gott. Sie ist Ergebnis der Kultur des Herzens durch den
Geist und das Wort Gottes. Sie ist Ertrag des Wortes
Gottes auf gutem Herzensboden, dreißig-, sechzig- und
hundertfältig. Sie ist Frucht des Geistes in der lieblich-
sten Weise als Liebe, Freude, Friede, Geduld, Freundlich-
keit, Gütigkeit, Treue, Sanftmut, Enthaltsamkeit. Sie ist
Ausgestaltung Christi in der Einfalt des Herzens. Ja, sie
ist das Wachstum Gottes im Menschen bis zur ganzen
Fülle Gottes.

1. Petr. 3, 4

Gal. 5, 22
Gal. 4, 19

Kol. 2, 19;
Eph. 3, 19

2. Kor. 4, 4

Für eine derartige himmlische Fruchtbarkeit auf Erden hat
die satanisch verblendete Kulturwelt keinerlei Verwer-
tung noch Kurswert; deswegen muß sie höhnen über die
unfruchtbaren »Stillen im Lande«, die, anstatt sich an der
Weltverbesserung zu beteiligen, nur eine »pharisäisch
selbstsüchtige Privatfrömmigkeit« betreiben. Mögen die
Weltverbesserer sehen, wie weit sie mit ihrer großen Betriebsamkeit kommen; sie werden elend zuschanden werden! Die Fruchtbarkeit der heiligen Einfalt aber wird nie
zuschanden; alles wird jedoch an ihr zuschanden werden!
Wahrlich, die Fruchtbarkeit der heiligen Einfalt erweist
sich als Macht, die jedes Hindernis durch ihre himmlische
Wurzelkraft sprengt, jede Höhe überwächst und noch
jedes Erdreich gewinnen und beherrschen wird! Wo sie
wurzelfest wächst, gewinnt kein Unglaube, kein Welt-
und Sündengeist Raum. Ihr Wuchs verdrängt jedes Ast-
gewirre vom Giftbaum der Selbstsucht, ihr Holz zernagt
kein Getier dieser Welt, und ihre Frucht verderbt kein
Wurm.
Wo eine einzige Seele in der wahren Einfalt verharrt, da
fließen die lebendigen Wasser mitten in der todesstarren
Wüste, da ist eine Stätte der Genesung inmitten des Ver-

Matth. 5, 13. 14

derbens, da salzt das Salz und leuchtet das Licht, und diese lebenstrotzende Fruchtbarkeit kann nicht verborgen bleiben. Die Anwohnenden müssen vom Lebensstrom berührt, von der Salzwirkung durchdrungen, vom Licht durchleuchtet werden; so sind sie auszureifen genötigt entweder zur Bekehrung oder zur Verstockung. Je einfältiger der Mensch einerseits in der beständigen, unbeweglichen Überlassenheit an seinen Herrn und sein Wort verharrt und andererseits in seiner Liebe immer beweglicher wird, desto schneller wird die Frucht der Entscheidung für Gott reifen.

Das kostet den vollen Kampf des Glaubens; denn alles wird wider die Beständigkeit der Einfalt anlaufen, um ihre Fruchtbarkeit zu vereiteln. Man wird ihr ihre törichte Einseitigkeit vorwerfen, sie der Lieblosigkeit zeihen, ihre Ausschließlichkeit verurteilen, sie zur Weltgemeinschaft auffordern, sie der frommen Selbstsucht beschuldigen; aber die Einfalt bleibt einfältig. Sie weiß, daß die Welt nicht in Gemeinschaft mit der Welt überwunden wird, sondern nur im Gegensatz zur Welt. Nicht auf der Breite des äußerlichen und vielfältigen Weltverbesserns, sondern nur vom Einfaltspunkt der Innerlichkeit aus wird der Sieg erstritten. Darum verkauft sich die heilige Einfalt an keinerlei verlockende Kulturideale. Nie zieht sie am gleichen Joch mit Ungläubigen; denn welche Verbindung hat Gerechtigkeit mit Gesetzlosigkeit oder welche Gemeinschaft Licht mit Finsternis? Welche Übereinstim-

2. Kor. 6, 14 – 18

mung ist zwischen Christus und Belial? Mag die Aussicht auf schnellere und breitere Fruchtbarkeit oft noch so anziehend erscheinen, die lautere Einfalt bleibt unbeweglich und unbestechlich. Ihr lichtes Auge durchschaut den Trug. Sie weiß, daß alle Weltverbesserei schauerlich in die Brüche gehen wird, und erhofft die Aufrichtung des Königreichs Christi auf Erden allein durch die Wiederkunft

ihres Herrn, wie er es in seinem Wort verheißen und vorausgesagt hat. So bleibt sie frei vom Betrug der Zeitideen und bewahrt vor dem Verlust ihrer unscheinbaren, aber sicheren und ewiggültigen Fruchtbarkeit; denn die geringste Hingabe an die Welt brächte ihr den Tod.
Herr, hab in Demut Dank für die Fruchtbarkeit der heiligen Einfalt. Ja, wer einfältig in Dir bleibt, bringt viele und bleibende Frucht, Frucht, die die Welt nicht kennt, weil sie Dich nicht kennt. Mehre meine Fruchtbarkeit für Dich durch noch völligeres Loslösen von mir und von der Welt und bewahre Deine Einfaltskinder vor dem gegenwärtigen Zeitbetrug!

43·

DIE KLARHEIT DER EINFALT

Jeder Schritt Entfernung von Christus und dem Worte Gottes bringt Vermischung mit Betrug, Verwischung göttlicher Offenbarungs- und Heilslinien, nebelhafte Gestaltlosigkeit und endlich die wilde Wüste. Das Gegenteil hiervon ist die *Klarheit* der heiligen Einfalt.
Ihre Klarheit ist erlösende Einfachheit, übersichtliche Deutlichkeit, lichte Durchsichtigkeit, umfassende Einheitlichkeit. Ihre ganze Weisheit ist die enthüllte Wahrheit. Die Welt ist durchaus verderbt, Christus Jesus ist durchaus ihr Erretter.
Eine ewig unausdenkbare Fülle göttlicher Weisheit und göttlichen Wirkens liegt geistesklar und geschichtsdeutlich eingeschlossen in dieser einfachen Wahrheit. Mögen die Zeitalter wechseln, die Völker steigen und sinken, ihre Kulturen blühen und verwelken, ihr Forschen und Wissen sich häufen: die einfache Wahrheit, von der die Einfalt

lebt, wird nie überboten, nie aufgehoben werden können. Mag man diese mehr als granitne Wahrheit wissenschaftlich zu unterhöhlen suchen, um sie zum, wie man meint, überreifen Zusammensturz zu bringen, mag man den Staub von Jahrhunderten auf sie werfen, um sie unter ihrem eigenen Alter zu begraben: Gott wird sie aus jedem Schutt wiedererstehen und in immer neuen Einfaltsherzen wiederaufleuchten lassen in Lichtsfülle wie am ersten Morgen. Mag die vielgeschäftige Menschenweisheit immer wieder an ihren zehn Fingern ausrechnen und behaupten, daß es längst bewiesen sei, diese einfache Wahrheit sei nichts als ein einfacher Irrtum, noch eingenistet in den sonst leeren Köpfen einfältiger Leute: die Einfältigen leben in ihrer gottgeschenkten Wahrheit weiter, als wäre nichts geschehen. Mag man sich auch in den mannigfaltigsten Versuchen überbieten, der aufgeklärten Welt erwünschtere und annehmbarere Wahrheiten kulturgerecht herzustellen und vorzusetzen, und mögen die Zwiespältigen jeden neuen Religionsversuch mit Jubel ausprobieren: die Einfalt wird sich in Ewigkeit nähren von ihrer einfachen, einen Wahrheit.

Nicht menschlich verbohrter Eigensinn hält sie gefangen, nicht Furcht vor inneren Erschütterungen schließt sie ab, nein, die Klarheit Christi ist es, die Gott in ihr Herz hat hineinleuchten lassen, um zu erhellen die Erkenntnis der Herrlichkeit Gottes im Angesichte Christi. Sie ist es, die sie abhält von der geringsten Vermischung mit dem Flackerschein des Vernunftlichtes, das als trüber Mischmasch hinter und unter ihr liegt.

2. Kor. 4, 6

Diese Klarheit ist der Vernunft unerklärlich, und auch die wahre Einfalt selber kann ihre Klarheit niemandem erklären. Ihr strahlt eben alles in Klarheit; der unerleuchtete Zwiespältige aber sieht nur »finsteren Wahn«, weil es alles Denken übersteigt. Wohl kann die Einfalt versuchen, klar von ihrer Klarheit zu reden; aber sie weiß dabei stets: Was sie sagt, ist nicht das, was sie hat. Ihr Himmelsgut läßt sich nicht umsetzen in irdisch begriffliche Vernunftmünze; ihr Gottesbesitz kann nicht ermessen werden mit der Elle menschlicher Logik. Es gehört mit zum Kreuz aller Kinder der Einfalt, daß sie sich Menschen gegenübersehen, die da hören und doch nicht verstehen, die da sehen und doch nicht wahrnehmen; aber wie ihr Meister preisen sie darob den Vater, den Herrn des Himmels und der Erde, daß er es den Weisen und Klugen verborgen, aber den Unmündigen geoffenbart hat. Auch darin zeigt sich die übervernünftige Klarheit der heiligen Einfalt, daß sie wohl imstande ist, in alle Gebiete des Vernunftwissens einzudringen und sich jede irdische Wissenschaft anzueignen, weil sie alle Menschenweisheit im Lichtglanz ihrer Klarheit durchschaut, wogegen der unerleuchtete Zwiespältige niemals imstande ist, mit seiner Vernunft in die Klarheit des Einfaltsglaubens einzudringen. Während sich die Vernunft mit den vielfältigsten und schwierigsten »Problemen« abmüht, um das Übervernünftige vernünftig zu machen und doch nie durch die Schale hindurchdringt, labt sich die heilige Einfalt in strahlender Klarheit am nahrhaften, süßen Kern.

Die Klarheit der Einfalt wird jedoch nie weiter reichen, als ihr Bleiben in Christus reicht; denn sie hat nicht die Spur eigener Weisheit und eigenen Lichtes. Er schenkt ihr alles innerlich, soweit sie innerlich mit ihm in Wesensverbindung steht. Sie ist immer nur so viel von Gott gelehrt, als sie sich Gott gegeben hat; darum ist jeder Mangel an Hingabe und Überlassung Verlust und Einbuße an Klarheit. Wehe, wenn das Licht in ihr Finsternis wird; wie groß wird dann die Finsternis sein!

Ach, Herr, ich bin um Deinetwillen ein Tor geworden: sei Du in Gnaden fernerhin meine Weisheit und Klarheit! Ich habe sonst keine als Dich!

Matth. 13, 13. 14

Matth. 11, 25

Matth. 6, 22. 23

44.

DIE MANNIGFALTIGKEIT DER EINFALT

In ihrer Klarheit birgt die Einfalt einen unvergleichlichen Reichtum: das ist die *Mannigfaltigkeit* der heiligen Einfalt.

Weil die Zwiespältigen die Einfalt nicht kennen, sehen sie in ihr die runde, nullenhaft leere Gedankenlosigkeit. Freilich ist sie Entleerung bis aufs Letzte; aber sie bleibt nicht leer: Christus wird ihre Fülle. Freilich ist sie auch platteste Einfachheit; aber an ihrer Schlichtheit haftet die Herrlichkeit Christi. Freilich ist sie vollkommenste Einseitigkeit; aber im Rahmen dieser einen Seite erscheint die ganze Vielseitigkeit des am Kreuz Christi vollbrachten Erlösungswerkes.

Alle Zwiefalt verarmt; die Einfalt dagegen wird immer reicher. Wenn ein Zwiespältiger zum Sterben kommt, schrumpft all seine vielfältige und mannigfaltige Habe zum kläglichen Nichts zusammen. Sein vielseitiges glänzendes Wissen wird todesdunkle Unwissenheit. Sein vielgeschäftiges gewichtiges Wirken wird elende Nichtigkeit. Seine mannigfaltige bunte Freude wird todesblasse Traurigkeit. Wenn aber die heilige Einfalt sich zum Verlassen der Erde gürtet, verliert sie kein Stückchen ihrer Habe; sie behält all ihr in Christus überaus reiches Gnadengut. Ihre Glaubensgewißheit bleibt licht. Ihre in Gott getanen Werke folgen ihr nach. Ihre unverlierbare Freude färbt sich noch goldener. Doch nicht nur das; denn die heilige Einfalt geht ja nun erst ihrem vollen und ewigen Reichtum entgegen. Ihr bedeutet Sterben: Erben. Ihr Glaube blüht auf zum Schauen. Ihr Wirken wird gekrönt und befähigt zum höchsten Dienst. In Freuden geht sie ein zu ihres Herrn ewiger Freude. Unübersehbare Mannigfaltigkeit des Gnadenreichtums in Christus Jesus füllte das Einfaltsauge schon hier auf Erden, und was wird es erst im ewigen Lichte schauen, wenn es durch Gottes Hand vom letzten Tränenschleier befreit sein wird!

Aber die arme Einfalt besitzt nicht nur den mannigfaltigsten und sichersten Reichtum auf Erden und im Himmel, nein, sie selber *ist* lautere Mannigfaltigkeit.

Anscheinend gibt es keine einförmigeren Leute als die Einfaltsleute. Sie haben alle das gleiche gutmütig harmlose Aussehen und reden alle die gleiche Sprache: sie beklagen alle die Erde und loben alle den Himmel. Sie ähneln sich auch in Gebärden und Kleidung, so daß man sie meist schon von weitem als Vertreter der einen absonderlichen Art erkennen kann, und doch stellen sie die wundersamste Mannigfaltigkeit dar. Welch bunte Verschiedenheit ihrer Herkunft, ihrer Abkunft, ihres irdischen Standes, ihrer äußeren Bildung, ihres materiellen Besitzes! Welche Vielartigkeit des persönlichen Wesens, welche Vielgestaltigkeit des Lebensganges und Lebenswerkes! Und doch in allen dieselbe eine himmlische, reine Einfalt, und wiederum: welche Mannigfaltigkeit der Gnadengaben und Gnadenwirkungen in den Einfältigen bei aller Einheit in der Einfalt! Wie bricht sich das eine Licht der Welt doch so buntfarbig in seinem irdischen Edelgestein! Wie beweist sich der eine Geist doch so mannigfalt in seinen Kindern! Wie gewinnt der eine Christus doch eine so unterschiedliche Gestalt in den Seinen, und wie werden die Sterne in seiner Hand droben einmal in so vielgradiger Herrlichkeit erstrahlen!

Offb. 2, 1; 1. Kor. 15, 41. 42

Wahrlich, die heilige Einfalt ist nur nach außen arme Einförmigkeit; nach innen aber ist sie voll der Fülle der Mannigfaltigkeit der Gedanken und Werke Gottes! Denn was in keines Zwiespältigen Auge, Ohr und Herz gekommen ist, das hat Gott den Einfältigen bereitet! In ihnen

1. Kor. 2, 9

besitzt er die Schatzkammer seiner allmächtigen Güte; sie sind der lebendige Wunderschrein seines Waltens. In ihnen und durch sie bewahrt er den Reichtum seines Wortes und seines Tuns. In ihnen und durch sie erfüllt sich die Heilige Schrift in dem ganzen Reichtum ihrer Verheißungen, die allesamt in Christus Jesus Ja und Amen sind, *2. Kor. 1, 20* Gott zur Verherrlichung durch die Einfältigen. Durch sie bewahrt er die Welt der Zwiespältigen vor sofortigem Verfaulen und vor gänzlicher Verfinsterung. In ihnen wirkt er mit der überschwenglichen Größe seiner Macht nach der Wirkung der Kraft seiner mächtigen Stärke, die er erwiesen hat an dem Christus, da er ihn von den Toten auferweckt und zu seiner Rechten gesetzt hat in der himmlischen Welt. In ihnen, seinen verklärten Einfältigen, will Gott einmal auch den Reichtum der Herrlichkeit seines Erbes in den Heiligen offenbaren und wirksam ma- *Eph. 1, 18–21* chen in die Zeitalter der Zeitalter.

Wahrlich, aller Mangel an heiliger Einfältigkeit ist Mangel an göttlicher Mannigfaltigkeit! Jedes Beharren in der einengenden Zwiespältigkeit ist Verlust göttlicher Lebensfülle und ewiger Herrlichkeit!

In Dir, Herr, wohnt die Fülle der Gottheit leibhaftig, und in denen Du wohnst, entfaltet sich Deine Fülle auf das mannigfaltigste. Hab ewig Dank für die unerschöpflich reiche Ausgestaltung Deines Lebens in Deinen Einfältigen!

45

DIE SCHÖNHEIT DER EINFALT

Es gibt auch eine *Schönheit* der heiligen Einfalt. Sollte die Einfalt nicht schön sein; ist sie doch edelste Einfachheit und schmuckreichste Mannigfaltigkeit zugleich!
Schau sie nur recht an, und du mußt schließlich zugeben: es fehlen ihr die häßlichen Züge schlau durchtriebener Selbstsucht, gespannten Ehrgeizes, raffenden Geldgeizes, lüsterner und ermattender Genußsucht, giftigen Neides, hämischer Schadenfreude, boshaften Übelwollens, öder Oberflächlichkeit, verbohrter Rechthaberei, überlegenen Stolzes, anmaßenden Richtgeistes, gemeiner Niedertracht, befehlshaberischer Herrschsucht, polternder Grobheit, hinterlistiger Falschheit, gehetzter Vielgeschäftigkeit, nervöser Gereiztheit, roher Gewalttätigkeit, blinden Hasses, grimmiger Rache, friedloser Qual, trostloser Schwermut, trübseliger Verzweiflung, verbitterten Daseins und verfinsterten Lebensüberdrusses. Wo alle diese häßlichen Malzeichen der Eigenliebe und Eitelkeit, der Sünde und des Verderbens fehlen, sollte da nicht wahre Schönheit blühen?
Wenn irgendwo auf Erden, so ist in der lauteren Einfalt wiederhergestellte Natürlichkeit erschienen. Das Ebenmaß göttlichen Wesens tut sich in ihr kund. Die Verzerrung der Züge und Gebärden durch die Gier und den Dünkel der Selbstsucht ist geschwunden. Das adamitische Zerrbild, das Bild des Irdischen, wird zurückgeformt, hinaufgeformt in das göttliche Urbild, in das Bild des Himmlischen. Ein »neuer Mensch« ist angezogen, der völlig erneuert wird nach dem Bilde dessen, der ihn geschaffen hat; denn Christus Jesus ist das erschienene Ebenbild Gottes, und jeder Einfaltsmensch ist bestimmt, dem Bild des Sohnes Gottes gleichgestaltet zu werden. Mit dem

1. Kor. 15, 49
Kol. 3, 10
2. Kor. 4, 4;
Kol. 1, 15
Röm. 8, 29

aufgedeckten Einfaltsauge die Herrlichkeit ihres Herrn anschauend, aufnehmend und widerspiegelnd, werden alle Einfältigen umgestaltet in dasselbe Bild von Herrlichkeit 2. Kor. 3, 18 zu Herrlichkeit, so wie es von des Herrn Geist geschieht. So ist die Schönheit der heiligen Einfalt die Widerspiegelung des Wesens Christi und zwar hier schon auf Erden; denn hier auf Erden ist das königliche und priesterliche Einfaltsvolk berufen, die Tugenden seines Hauptes Jesus Christus öffentlich zu verkündigen, indem es diese Tugenden lebendig darstellt. Mithin besteht die Schönheit der Einfalt in der Wiedergabe der Tugenden Christi Jesu, des Schönsten unter den Menschenkindern. Es ist himmlische, geistliche, inwendige Schönheit; sie verklärt aber auch den Leib des Menschen, und wäre es der Leib eines Krüppels. Christi Sanftmut und Demut leuchten in mildem Licht aus den Augen, sein Friede glänzt auf der Stirne, seine Freude überstrahlt das Angesicht, seine Liebe gibt jeder Bewegung Ruhe und Anmut, seine Geduld verleiht jeder Gebärde Maß und Würde, seine Weisheit und Tapferkeit formen die Worte, und seine Holdseligkeit schenkt ihnen den Klang.

Wahrlich, nichts Gebietenderes gibt's auf Erden als einen Einfaltsmenschen, der in der Haltung Jesu vor den Zwiespältigen erscheint! Nichts Schöneres kann geschaut werden als eine Einfaltsseele, die Christi Tugenden verkündigt. Was ist aller Schönheitsdünkel, was aller Leibeskult, was aller Zierat und alle Gefallsucht der Zwiespältigen gegenüber dieser gebietenden Schönheit der himmlischen, heiligen Einfalt!

Es mag ein Mensch schön sein und sich schmücken, soviel als immer möglich ist: fehlt ihm die himmlische Einfalt, so fehlt ihm dennoch die wahre Schönheit. Einfalt dagegen braucht keinerlei Schmuck, weder Haarflechten noch Goldumhängen, noch Kleideranlegen, und doch ist sie

Reference column:

2. Kor. 3, 18

1. Petr. 2, 9;
Phil. 2, 15

Psalm 45, 3

bis ins höchste Alter unübertrefflich schön. Der verborgene Mensch des Herzens in der Unvergänglichkeit des sanften und stillen Geistes, der so köstlich ist vor Gott, der bewirkt und erhält all ihre Schönheit. Nichts aber ist häßlicher als die geschmückte und gezierte Selbstgefälligkeit, sei es in Kleidung oder Gebärde, Rede oder Schrift, Wort oder Werk. 1. Petr. 3, 4; 1. Tim. 2, 9. 10

Herr, vor Deinem Bilde verblassen alle Bilder, zerrinnt alle Einbildung und versinkt jede Bildung. Nur Du bist schön, und wer in Dir lebt, wird schön. Laß mich vor keiner Schönheit staunen als nur vor der Deinen. Laß mich in keiner anderen Schönheit erscheinen wollen als in der Schönheit der Einfalt in Deiner Nachfolge!

46.

DIE KÖSTLICHKEIT DER EINFALT

So vorzüglich die Schönheit der Einfalt ist, so außerordentlich ist auch die *Kostbarkeit* der heiligen Einfalt. Sie wird gemessen an dem Wert der Tugenden Christi, die in der Einfalt erscheinen, und an der Seltenheit der reinen Einfalt auf Erden.

Es ist die Kostbarkeit eines lebendigen Steines. Viele kostbare tote Edelsteine gibt es auf Erden, und im Himmel wird es noch ungleich mehr geben; aber in Zion hat Gott einen auserwählten, kostbaren lebendigen Edelstein gelegt, und wer an den glaubt, wird nicht zuschanden werden. Den Gläubigen gehört die Kostbarkeit dieses lebendigen und auserwählten Edelsteins. Das ist der vor Menschenaugen wunderbarlich von Gott gekommene Stein, den die Bauleute für nichts geachtet und verworfen ha- 1. Petr. 2, 6. 7

Matth. 20, 42;
Apg. 4, 11
ben, der aber zum Eckstein geworden ist. Sein Name ist Jesus Christus, und seine Kostbarkeit ist der ureinzige Wert des Lebens Jesu Christi, hingegeben und ausgeflossen für uns als kostbares Blut eines fehllosen und fleckenlosen, vor Grundlegung der Welt für die zuvorgesehene Sünde zuvorersehenen Lammes. Denn wir wissen, daß wir nicht mit vergänglichen Dingen, mit Silber oder Gold, losgekauft sind von unserem nichtigen Wandel, sondern 1. Petr. 1, 18. 19 durch das kostbare Blut Christi. Diese unvergleichliche, ureinzige Kostbarkeit des Lebens und Blutes Christi Jesu ist den Gläubigen zuteil geworden; denn ihnen gehört diese Kostbarkeit des lebendigen Edel- und Ecksteins allein, und eben diese Kostbarkeit ist die Kostbarkeit der heiligen Einfalt.

Die Zwiespältigen haben den kostbaren, lebendigen Baustein, durch den Gott Grund zu einer neuen Welt legte, für nichts geachtet und verworfen und verwerfen ihn noch alle Tage; aber die Unmündigen und Einfältigen glaubten an seinen Wert und glauben noch alle Tage neu. Ihnen konnte des Steines Kostbarkeit, ihnen konnte die Erlösung durch Christi Blut, ihnen konnte durch den Heiligen Geist Christi Leben mit seinen Tugenden gegeben werden. Sie allein haben mit dieser Kostbarkeit zugleich die größten und köstlichsten Verheißungen empfangen, 2. Petr. 1, 4 auf daß sie dadurch göttlicher Natur teilhaftig werden.

Wie selten freilich gedeiht dieses kostbare Jesusleben auf Erden, wie selten wird das Teilhaben an seiner göttlichen Natur offenbar! Wie selten sind die einfältigen Herzen, denen man es anmerkt: sie haben mit dem »gleichen kostbaren Glauben«, den die Apostel und ersten Christen 2. Petr. 1, 1 empfingen, auch des Edelsteins lebendige Kostbarkeit empfangen!

Wo man sie aber findet, da erstatten sie den Mangel der 1. Kor. 16, 17 übrigen und sind eine Erquickung für den Geist. O kostbare Einfaltsseelen, wie wird einem in ihrer Nähe so wohl und so frei! Da ist Leben vom Lebensfürsten. In heiliger, natürlicher Unmittelbarkeit treten Mensch und Mensch einander nahe. Kein ängstliches oder schlaues Verbergen ist nötig, keine berechnenden Absichten werden verfolgt, kein unwahres Wort braucht geredet zu werden; das geschmeidige und doch so herzarme Gaukelspiel der Höflichkeit ist abgetan und an seine Stelle die Wesenheit der Liebe und Wahrheit getreten. O kostbare Einfaltsseelen! Sie sind der ermunternde Vortrupp der erlösten Schar und ein erquickender Vorschmack vom Leben der Seligen in Christi Königreich. Nur in ihnen spiegelt sich bei aufgedecktem Angesicht die Klarheit des Herrn als Erlöstsein von jedem gemeinen Lug und Trug der menschlichen Selbstsucht. Das ist unberechenbare Kostbarkeit.

Des lebendigen Edelsteins Kostbarkeit liegt aber nicht nur in seiner unvergleichlichen Eigenschaft, das in ihm gesammelte himmlische Licht widerzustrahlen, sondern vor allem in seiner Härte. Ohne diese Härte keine Lichtfülle und keinen Lichtschein.

Geöffnet nach oben, geschlossen nach unten: so erschien Christus Jesus auf Erden. Das war seine unerfindliche Einfalt. Die Fülle der Gottheit wohnte leibhaftig in ihm; aber sie wohnte in ihm hinter einer unangreifbar hehren Abgeschlossenheit. Unaufhörlich strahlte er göttliches Wesen aus; aber nichts menschlich Gemeines vermochte ihn schädigend anzugreifen oder gar spaltend in ihn einzudringen. Des himmlischen Edelsteins Härte erwies sich als unverletzbar, und so uneindringlich, unzerstörbar hart mußte er erscheinen, damit er zum Eckstein eines neuen Weltenbaues werden konnte. Alles Licht und Leben sollte er tragen; es sollte sich aber auch alle Finsternis und aller Tod an seiner Härte brechen. So ist er das Licht der Welt, der Grund- und Eckstein seines Reiches, aber auch der Stein des Anstoßens und der Fels des Ärgernisses geworden, an dem sich alle stoßen, die dem Wort nicht glauben, wozu sie auch bestimmt sind. »Wer auf diesen Stein fällt, der wird zerschellen; auf wen aber er fällt, den wird er zermalmen.«

1. Petr. 2, 8

Luk. 20, 18

Diese edle Härte findet sich in der Kostbarkeit jeder Einfaltsseele wieder. Inmitten einer verkommenden Menschheit, die immer lauter von Liebe schwatzt, immer selbstsicherer von Freiheit und Gerechtigkeit faselt und dabei fortgesetzt den himmlischen Eckstein verwirft, sich an ihm ärgert und dem Wort nicht glaubt, inmitten dieser Verlotterten besitzen allein die Einfältigen die edle Härte des Widerstandes gegen die steigende Flut der Verwirrung und des Verderbens. Sie allein stehen unbeweglich fest, sehen unbeirrt und nüchtern klar, behalten ein unantastbares Gotteswort, haben unerschütterlichen Felsengrund unter ihren Füßen und unzerbrechliches Rückgrat in ihrem Wesen. Hart wie ihr Meister verkündigen sie diesem taumelnden Geschlecht den Gerichtstag des kommenden Zornes Gottes und erdulden indes in Geistesfestigkeit jeden Widerspruch der Toren und Sünder. Welch eine seltene Kostbarkeit, diese edle Härte eines Einfaltsherzens, das durch Gnade fest geworden ist in seinem unveränderlichen Herrn und dessen unvergänglichem Wort!

In dieser Kostbarkeit der Einfalt laß mich, o Herr, angetroffen werden! Möge das seltene Licht Deiner Tugenden aus mir leuchten und die unangreifbare, unspaltbare Härte des Ecksteins an mir wahrgenommen werden!

47.

DIE UNNACHAHMLICHKEIT DER EINFALT

Ihre himmlische Geburt und Köstlichkeit sichert die *Unnachahmlichkeit* der heiligen Einfalt.

Glauben kann man heucheln, Liebe kann man heucheln, auch Hoffnung läßt sich heucheln; Einfalt aber kann niemand heucheln. Je einfältiger sich jemand stellt, desto vielfältiger wird der Betrug offenbar werden. Die selbstsüchtige, zwiespältige Absicht wird sich ganz gewiß verraten: man wird sie merken und weh verstimmt sein; denn es gehört die Durchtriebenheit der Durchtriebenheit dazu, den Einfältigen spielen zu wollen. Die Verdrehtheit versucht gerade, die Verkehrtheit richtig zu scheinen, die Unaufrichtigkeit will die Lauterkeit darstellen, das listige Schalksauge will wie ein Einfaltsauge blicken. Das ist noch nie gelungen; denn die heilige Einfalt ist unnachahmlich.

Nicht immer verrät die Sprache die Volksart, aber immer verrät das Auge die Seelenart. Das stille Himmelslicht des Einfaltsauges hat noch nie aus einem Schalksauge geleuchtet. Sprache und Gebärden mögen denen eines Einfältigen gleichen; aber das Auge verrät den Irrgang der Seele. Der ruhige, lichte Friedensstand des Einfaltsauges ist für den Zwiespältigen unerreichbar. Die harte Starre des Eigenwillens im Blick, die spitze Stichflamme des Ehrgeizes, die fressende Gier der Habsucht, die schwüle Glut der Unreinheit, der zehrende Brand der Leidenschaft, das lodernde Feuer des Zornes, der scheue oder dreiste Seitenblick des Verleumders, der rollende Blick des Selbstbewußten, der gesenkte oder schwankende des Schuldbewußten, der ruhelos gehetzte des Gequälten, der ermattete des Kranken, der schmachtende der Abgöttischen, der irre der Verzweifelten und Verirrten, der verdeckte der Besessenen, der traurige der Suchenden, der unstete der Zweifelnden: alles verrät den Abstand von der heiligen Einfalt.

Nur im Einfaltsauge leuchtet Gottes Friedensbogen. Nur wessen Augen in Einfalt wirklich den Heiland gesehen haben, dem schaut auch der Heiland wieder aus den Augen. Es ist anbetungswürdig, wie unerbittlich Gottes Heiligkeit in diesem Gesetz waltet. Was irgendeiner Seele an Einfalt gegen Christus fehlt, das fehlt ihr am lichten Friedensstand des Augenlichtes, und soviel irgendein Mensch sich zur Einfalt läutern läßt und immer mehr nur Jesus ins Auge faßt, in gleichem Maße wird das Auge ruhig, mild und friedereich. Aus dem beweglichen Schalksauge ist ein stilles Einfaltsauge geworden.

Was der Mensch anschaut, in das wird er verwandelt, es sei Gott oder der Abgott. Alles Irdische, Menschliche und Eigene tanzt im Flackerlicht der Zeitlichkeit und bewirkt unruhige Bilder, die das Auge hetzen und betrügen. Aller bunte Wechsel der Vielheit ist nur ein trübender, lastender Wahn, der nie die Einfalt gebären kann, was sich ein Mensch auch einbilden mag; wo aber durch ein gottgeöffnetes Auge Jesus Christus sich in eine Seele hineinbilden kann, da sättigt und stillt der Geist mit dem Reichtum des Unsichtbaren und setzt er das lichte, friedliche Einfaltsauge zum Siegel der Unnachahmlichkeit der wahren Einfalt.

Heiliger Vater, die Deine Nachahmer werden in der Nachfolge Jesu, die tragen das lichte Siegel der unnachahmlichen Einfalt, und ihr ganzer Leib wird licht sein. Entleere mein Auge vom letzten Trug und heitere es ganz auf in Christi Licht, in der inneren Schau Deiner Heiligkeit und Herrlichkeit!

48.

DIE HOFFNUNG DER EINFALT

Unnachahmlich wie sie selber ist auch die *Hoffnung* der heiligen Einfalt.

Nur die Einfalt lebt wirklich von lauter Hoffnung. In ihrer ureigenen Torheit und Ohnmacht besitzt sie ja nichts in sich selbst, worauf sie sich stützen und womit sie sich sichern könnte. Sie hofft auf die Güte und Treue des Herrn von Augenblick zu Augenblick. Alle Hoffnung auf eigene Weisheit und eigene Kraft hat sie aufgegeben, jede Selbständigkeit hat sie eingebüßt, von Menschen erwartet sie längst nichts mehr; so weiß sie nur das Eine: »Der Herr ist treu«, und kann sie nur das Eine: »Fröhlich sein in Hoffnung«.

2. Thess. 3, 3
Röm. 12, 12

Sie allein hofft fröhlich. Sie hofft ohne Rückhalt, ohne Vorbehalt, ohne Seitenstützen und Nebenwege. Sie hofft unbedenklich und ohne Abzüge. Sie hofft wider alles Hoffbare, Spürbare, Fühlbare und Sichtbare. Sie hofft für das Geringste und das Größte, für den nächsten Augenblick und für die Ewigkeit. Sie hofft ohne Vorsatz, ohne Mühe und ohne Anstrengung. Sie hofft ganz ohne Enttäuschung; denn sie hofft ohne Eigenwillen.

Der Grund ihrer Hoffnung liegt weder in sinnlichen Wahrnehmungen noch in vernünftigen Überlegungen; er liegt auch nicht über, unter oder neben ihr. Der Grund ihrer Hoffnung liegt *in* ihr: die himmlische, wahre Einfalt *ist* lebendige Hoffnung von der Stunde ihrer Geburt an; denn der einfältige Mensch ist wiedergeboren zu einer lebendigen Hoffnung nach der großen Barmherzigkeit Gottes durch die Auferstehung Jesu Christi. Sein Leben und Wesen ist grabentstiegenes, über Zeit und Tod herrschendes Ewigkeitsleben und darum unmittelbar lebendiges Hoff-

1. Petr. 1, 3

nungsleben. Es ist unvergleichlich größer als die Sinnen-
und Ichwelt und unvorstellbar größer als alle Zeitmaße:
es ist so groß wie die Ewigkeit, der es entstammt und die
es in sich birgt. Darum kann es nur Hoffnungsleben sein.
Die unermeßliche Entfaltungsfähigkeit des Geistes Gottes
durchpulst es, und der ewige Wille Gottes trägt und bewegt es.

Darum weiß sich jede Einfaltsseele so sicher getragen
nach oben, und jeder Tag bringt ihr Größeres, als der
vorige brachte. Nicht mit flatterndem Flügelschlage fliegt
sie auf, sondern der ruhige Flug des Adlers ist ihrer
Hoffnung Ausdruck; denn wo Gottes Kraft trägt, da ist
Gottes Stille. Deshalb zählt auch die Einfalt die fröhlichen Pulsschläge ihrer Hoffnung überhaupt nicht zuerst
und zuletzt nach der Zeitenstunde und der Höhe der
Jahre. Sie hat ja inmitten der Zeit schon so viel Ewigkeit erlebt, daß ihr Wandel längst im Himmel ist. Längst

Phil. 3, 20 reicht ihre Hoffnung als der Anker ihrer Seele hinein
in das Inwendige des Vorhanges, wohin Jesus als Vor-

Hebr. 6, 18. 20 läufer eingegangen ist, und längst sind die Kräfte der
Hebr. 6, 5 zukünftigen Welt in ihr wunderbar wirksam. Längst, ehe
die Seele vom Leibe sich löst, ist sie vom Vergänglichen
gelöst und hat den Himmel in sich als Schatz der über-

2. Kor. 4, 7 schwenglichen Kraft Gottes im irdenen Gefäß.

Darum kann die lebendige Ewigkeitshoffnung der heiligen
Einfalt kein selbstsüchtiges Schielen nach äußerlichen
Himmelsfreuden sein. Sie schwelgt nicht in Vorstellungen
von Perlentoren und goldenen Pflastersteinen, goldenen
Kronen und weißen Kleidern. Ebensowenig verliert sich
ihre lebendige Erlösungshoffnung an Berechnungen über
die letzte Zeit und die Wiederkunft ihres Herrn. Zu alledem ist die wahre Einfalt viel zu einfältig, viel zu sehr
bereits von der Ewigkeit hingenommen und mit ihr erfüllt. Deshalb quält sie sich auch nie mit der Frage, ob

sie wohl zur Ersten Auferstehung gelange oder nicht. Sie weiß nur das Eine: Gott, der Vater und der Sohn wohnen durch den Heiligen Geist in ihr unverlierbar, ewig, herrlich. Der ihr unzähligemale die Freude seiner Liebe schenkte, trennt sich nie von ihr. Ihm, dem sie in jeder Sekunde näher ist als allen sichtbaren Geschöpfen, ihm bleibt sie über alles hinaus zugehörig. Sie in ihm, er in ihr: diese Verbindung trägt sicher durch Zeit und Tod, vom Schauen im Inneren zum Schauen in der Urwirklichkeit der ewigen, himmlischen Lichtwelt hinüber.

Still, ohne klagendes Sehnen, ruhig, ohne redseliges Schwelgen, reift die einfältige Brautseele für den Tag der himmlischen Vermählung aus. Ihr Sterben wird ein überaus friedereiches und dankbares sein. Die Stunde, die ihr Herr dazu bestimmt hat, wird sie bereit finden. Er in ihr ist ihre immerwährende Bereitschaft. Es wird sich nicht einmal etwas Wesentliches ändern; denn wesentlich hatte sie ja schon längst das ewige Leben in ihm. Nur der große, lichte Augenaufschlag drüben – wie still-innig freut sie sich darauf! Das voll erkennende, höhere Einfaltsauge wird den schauen, dem der innere Mensch in den irdischen Tagen längst unverrückbar das Angesicht zugewandt hielt. Es wird ein längst gewußtes, längst geeintes, selbstverständliches, einfaltsgroßes, einfaltsseliges Finden sein.

Ach, Herr, wie fröhlich beruhigt schlägt das hoffende Herz Deines Einfaltskindes! An Deiner Hand wird es einmal der letzten Gemeinheit der Selbstsucht, dem letzten Lärm der letzten Sünde entsteigen. Dann mag mit dem Pulsschlag dieses Blutes auch der Pulsschlag der lebendigen Hoffnung stillestehen. Du selbst wirst die große *eine* Erfüllung sein. Ich danke Dir, daß Du mir von Deinem Geist gegeben hast. Ich danke Dir, daß ich mit Dir in Einfalt *ein* Geist werden darf. Ich danke Dir für das ewige Einssein mit Dir!

49.

DIE ZUKUNFT DER EINFALT

Ihrer himmlischen Hoffnung und Berufung wird die *Zukunft* der heiligen Einfalt entsprechen. Sie deckt sich mit der Ankunft und Zukunft Jesu Christi auf Erden. Ehe der Herr erscheint, um sein Friedensreich aufzurichten, hat die reine Einfalt überhaupt keine Zukunft hienieden. Sie wird nächstens heimatloser werden als je zuvor. Dennoch wird sie darum nicht seltener werden; wohl aber wird ihre Echtheit kostbarer erfunden werden als das 1. Petr. 1, 7 durchs Feuer bewährte vergängliche Gold. Versuchungen und Trübsale werden sie aufs heißeste und reinste läutern. Vielleicht wird ihr als letzter Dienst unter diesem gerichtsreifen Geschlecht nur der Gebetsdienst übrigbleiben. Es wird das Gebet um Erbarmen sein für ihre Peiniger. Es wird aber auch das Gebet um unsträfliche Bewahrung bis zum Ende sein, um Kraft zu haben, jedem kommenden Zorngericht Gottes und des Lammes über den Antichristus zu entfliehen und zu stehen vor dem Men-Luk. 21, 36 schensohn. Endlich wird das Gebet des Geistes im Herzen der Braut auch dies sein: »Komme bald, Herr Jesus!«
Danach wird die lautere Einfalt das Land ererben und in Sanftmut mit ihrem erschienenen König sitzen und regieren in seinem Friedensreich. Danach wird sie mit Gott und dem Lamm in der ewigen Stadt am Strom des Lebenswassers wohnen. Im Schauen seines Angesichtes und mit seinem Namen auf ihrer Stirne wird sie lobpreisend ihm dienen. So wird ihre Zukunft zur seligen Ewigkeit werden.
Ja, Herr, ewig preise Dich die heilige Einfalt!

INHALT

FRITZ BINDE

Vom Geheimnis des Glaubens

2. Auflage
266 Seiten, 14,80 DM
ISBN 3 87857-1550
Edition C, C 23, Bestell-Nr. 55323

Fritz Binde hat mit seiner Botschaft
der Gemeinde Jesu entscheidendes zu
sagen. Hier wird kein Süßwasser-
Christentum verabreicht, sondern
derbe biblische Kost. Die Betrachtungen
wollen mit zur Gesundung der
Glaubensgemeinde sowie dem persönlichen Glaubensleben beitragen.

Immer wieder werden in Zeitschriften
Zitate aus diesem Buch gebracht.
Die Botschaft, die Fritz Binde zu verkündigen hatte, muß gerade heute neu
gehört werden.

Verlag und Schriftenmission der
Ev. Gesellschaft für Deutschland GmbH

BRUDER LORENZ

Allzeit in Gottes Gegenwart

Briefe, Gespräche und Schriften
Mit der Lebensbeschreibung von Gerhard Tersteegen
116 Seiten, gebunden, DM 12,80

»Ich habe nichts anderes zu tun, als zu lieben und mit
Gott fröhlich zu sein. Mein ganzes Leben ist nur noch
vollkommene Freiheit und beständige Freude.« In diesen
Sätzen spiegelt sich die ganze Theologie der Gegenwart
Gottes, die Nikolas Herman mit dem fremd anmutenden
Namen *Bruder Lorenz von der Auferstehung* nicht nur
gelehrt, sondern auch verwirklicht hat.
1608 in Lothringen geboren, erlebte er als Soldat die
Schrecken des Dreißigjährigen Krieges und trat auf der
Suche nach Gottes Nähe ins Kloster der Karmeliter in
Paris ein. Dort lebte er als einfacher Laienbruder und
verrichtete jahrzehntelang die niedrigsten Arbeiten in
Küche und Werkstatt: »Es ist nicht wichtig, was ich tue
oder was ich erleide; entscheidend ist nur, daß mich die
Liebe mit Gottes Willen vereint!«
Weil Bruder Lorenz glaubte, daß Gott in allem ist, war er
gewiß, daß Er in uns wirkt, sich uns mitteilen und unser
bester Freund sein will. Auch während der täglichen Arbeit war Bruder Lorenz bemüht, Gott ganz nahe zu sein,
und er hat diesen Weg »die Übung der Gegenwart Gottes«
genannt. Die Sehnsucht, alle Zeit in Gottes Gegenwart zu
bleiben, bildet das Herzstück seiner Gespräche, Briefe
und Schriften, von denen nur wenig erhalten blieb. Sie
werden hier in der Übersetzung Gerhard Tersteegens
wieder vorgelegt.
Ruhe und Klarheit des Geistes, Liebe zum Schöpfer in
seinen Geschöpfen, innere Freiheit und Frieden in Gott
und Gottes Nähe im Alltag und im Leiden - dieses Ziel
auf dem Weg zu einem wahrhaft erlösten und erfüllten
Leben hat Bruder Lorenz erreicht. Seine Spuren sind
nicht verweht. Wer ihrer Richtung folgt und seinen Rat
beherzigt, findet auch heute Trost, Ermutigung, Hilfe
und Wegweisung zu einem Leben des Glaubens und der
Liebe in der Geborgenheit Gottes.

VERLAG ERNST FRANZ · METZINGEN/WÜRTT.